RAPHAEL'S

ASTRONOMICAL EPHEMERIS

OF THE

PLANETS' PLACES

For 1867.

(REVISED AND CORRECTED)

Fourth Edition

LONDON:

PUBLISHED BY FOULSHAM & CO., LTD.,

1927.

PRICE ONE SHILLING.

RAPHAEL'S

ASTRONOMICAL EPHEMERIS

OF THE

PLANETS' PLACES

For 1867.

(REVISED AND CORRECTED)

Fourth Edition

LONDON:

PUBLISHED BY FOULSHAM & CO., LTD.,

1927.

PRICE ONE SHILLING.

JANUARY XXXI DAYS.

D M	Neptune. Long. °	′	Declin °	′	Herschel. Lat. °	′	Declin. °	′	Saturn. Lat. °	′	Declin. °	′	Jupiter. Lat. °	′	Declin. °	′
1	10 ♈	4	2 N	33	0 N	19	23 N	38	2 N	8	15 S	59	0 S	37	19 S	11
4	10	5	2	33	0	19	23	38	2	8	16	2	0	37	19	1
7	10	7	2	34	0	19	23	38	2	8	16	6	0	37	18	51
10	10	9	2	35	0	19	23	39	2	9	16	9	0	37	18	40
13	10	12	2	36	0	19	23	39	2	9	16	13	0	37	18	29
16	10	14	2	37	0	19	23	40	2	10	16	16	0	38	18	18
19	10	17	2	38	0	19	23	40	2	10	16	18	0	38	18	7
22	10	20	2	39	0	19	23	40	2	11	16	21	0	38	17	55
25	10	23	2	41	0	19	23	40	2	11	16	23	0	38	17	43
28	10	26	2	43	0	19	23	41	2	12	16	25	0	38	17	31
31	10	30	2	45	0	19	23	41	2	13	16	27	0	38	17	19

D M	D W	Sidereal Time. H.	M.	S.	☉ Long. °	′	″	☉ Declin °	′	☽ Long. °	′	☽ Lat. °	′	☽ Declin °	′	♅ Long. °	′
1	Tu	18	42	41	10 ♑	39	56	23 S	1	21 ♏	24	4 N	5	14 S	10	6 ♋	13
2	W	18	46	37	11	41	7	22	56	3 ♐	13	4	36	16	18	6 ℞	10
3	Th	18	50	34	12	42	18	22	51	15	4	4	55	17	44	6	8
4	F	18	54	30	13	43	29	22	45	26	59	5	1	18	25	6	5
5	S	18	58	27	14	44	40	22	38	8 ♑	59	4	53	18	16	6	3
6	𝔖	19	2	23	15	45	51	22	31	21	6	4	33	17	18	6	0
7	M	19	6	20	16	47	2	22	24	3 ♒	20	4	0	15	32	5	58
8	Tu	19	10	17	17	48	12	22	16	15	42	3	15	13	2	5	55
9	W	19	14	13	18	49	22	22	8	28	13	2	20	9	55	5	53
10	Th	19	18	10	19	50	32	21	59	10 ♓	55	1	17	6	18	5	50
11	F	19	22	6	20	51	41	21	50	23	50	0	9	2	19	5	48
12	S	19	26	3	21	52	49	21	40	7 ♈	1	1 S	1	1 N	51	5	45
13	𝔖	19	29	59	22	53	56	21	31	20	30	2	9	6	1	5	43
14	M	19	33	56	23	55	3	21	20	4 ♉	19	3	12	9	57	5	40
15	Tu	19	37	52	24	56	9	21	9	18	29	4	4	13	26	5	38
16	W	19	41	49	25	57	14	20	58	2 ♊	59	4	42	16	9	5	35
17	Th	19	45	46	26	58	19	20	47	17	46	5	2	17	53	5	33
18	F	19	49	42	27	59	22	20	35	2 ♋	43	5	2	18	24	5	31
19	S	19	53	39	29	0	25	20	22	17	42	4	41	17	38	5	29
20	𝔖	19	57	35	0 ♒	1	27	20	9	2 ♌	33	4	2	15	41	5	27
21	M	20	1	32	1	2	29	19	56	17	7	3	7	12	45	5	24
22	Tu	20	5	28	2	3	29	19	43	1 ♍	17	2	2	9	8	5	22
23	W	20	9	25	3	4	29	19	29	15	2	0	51	5	7	5	20
24	Th	20	13	21	4	5	29	19	15	28	18	0 N	20	0	59	5	17
25	F	20	17	18	5	6	28	19	0	11 ♎	10	1	28	3 S	4	5	15
26	S	20	21	15	6	7	26	18	45	23	39	2	30	6	52	5	13
27	𝔖	20	25	11	7	8	23	18	30	5 ♏	51	3	24	10	16	5	11
28	M	20	29	8	8	9	20	18	14	17	51	4	8	13	12	5	9
29	Tu	20	33	4	9	10	16	17	58	29	44	4	40	15	32	5	6
30	W	20	37	1	10	11	12	17	42	11 ♐	35	5	1	17	13	5	5
31	Th	20	40	57	11	12	7	17	26	23	27	5	8	18	9	5	4

JANUARY XXXI DAYS.

D M	Mars Lat.	Mars Declin.	Venus Lat.	Venus Declin.	Mercury Lat.	Mercury Declin.	Moon's Node
1	3 N55	25 N11	4 N35	17 S 39	1 N15	21 S 46	27 ♍ 23
4	4 0	25 28	4 54	17 26	0 49	22 27	27 13
7	4 5	25 44	5 3	17 19	0 24	23 1	27 4
10	4 9	25 59	5 9	17 19	0 1	23 27	26 54
13	4 11	26 12	5 12	17 24	0 S 23	23 43	26 45
16	4 12	26 23	5 11	17 33	0 45	23 49	26 35
19	4 12	26 33	5 10	17 45	1 3	23 43	26 26
22	4 11	26 40	5 8	17 59	1 19	23 25	26 16
25	4 11	26 46	5 0	18 14	1 34	22 56	26 7
28	4 9	26 49	4 52	18 29	1 44	22 13	25 57
31	4 7	26 52	4 41	18 44	1 54	21 18	25 48

D M	♄ Long.	♃ Long.	♂ Long.	♀ Long.	☿ Long.	Mutual Aspts.	☉	♅	♄	♃	♂	♀	☿
1	21 ♏ 5	6 ♒ 43	23 ♋ 59	11 ♐ 51	19 ♐ 1						☌	△	
2	21 10	6 56	23 36	11 53	20 16	♄ ⎕ ♅						⁎	
3	21 16	7 10	23 14	11 57	21 33								☌
4	21 21	7 23	22 51	12 5	22 51								☌
5	21 26	7 37	22 28	12 14	24 10	☿ ∠ ♃		☍					
6	21 32	7 51	22 4	12 25	25 31	♂ △ ♄	☌		⁎		☌	⁎	
7	21 37	8 5	21 40	12 39	26 53					☌		⁎	
8	21 42	8 19	21 16	12 55	28 16					□			⁎
9	21 47	8 33	20 52	13 13	29 40							□	
10	21 52	8 47	20 28	13 33	1 ♑ 5	☉ ☍ ♂		△					
11	21 57	9 0	20 4	13 55	2 30		⁎		△		△		□
12	22 1	9 14	19 40	14 18	3 56	☉ ⁎ ♄			□		⁎	△	
13	22 6	9 28	19 16	14 43	5 23	☿ ☍ ♅		□				□	△
14	22 10	9 42	18 52	15 10	6 51	☿ ∠ ♄		⚹		□			
15	22 15	9 56	18 29	15 39	8 19		△		☌		⁎		
16	22 19	10 10	18 6	16 9	9 48							△	
17	22 24	10 24	17 43	16 41	11 18								☍
18	22 28	10 38	17 21	17 14	12 48				☌				
19	22 32	10 52	16 59	17 49	14 19	☿ P ♅			△		☌		☍
20	22 36	11 6	16 38	18 25	15 50	☿ ☍ ♂	☍						
21	22 40	11 20	16 17	19 3	17 22				□	☌		△	
22	22 44	11 34	15 56	19 42	18 55	♀ P ♃		⁎					
23	22 48	11 49	15 36	20 22	20 28						⁎	□	△
24	22 52	12 3	15 17	21 3	22 2	☿ ⁎ ♄	△	□	⁎			△	□
25	22 56	12 18	14 58	21 45	23 36			□			△	□	
26	22 59	12 32	14 40	22 28	25 11							⁎	□
27	23 3	12 46	14 22	23 13	26 47	☉ P ♀		□	△				
28	23 6	13 1	14 5	23 59	28 24					☌	□	△	
29	23 10	13 15	13 49	24 45	0 ♒ 1								⁎
30	23 13	13 29	13 34	25 32	1 39		⁎				⁎		
31	23 16	13 43	13 19	26 20	3 17	☉ P ♃							☌

FEBRUARY XXVIII DAYS.

D M	Neptune. Long.	Neptune. Declin	Herschel. Lat.	Herschel. Declin.	Saturn. Lat.	Saturn. Declin.	Jupiter. Lat.	Jupiter. Declin.
	° ′	° ′	° ′	° ′	° ′	° ′	° ′	° ′
1	10 ♈ 31	2 N 45	0 N 19	23 N 41	2 N 13	16 S 28	0 S 39	17 S 15
4	10 36	2 47	0 19	23 41	2 14	16 30	0 39	17 3
7	10 41	2 49	0 19	23 41	2 14	16 31	0 39	16 51
10	10 46	2 51	0 19	23 41	2 15	16 32	0 39	16 38
13	10 51	2 53	0 19	23 42	2 15	16 33	0 39	16 25
16	10 56	2 55	0 19	23 42	2 16	16 34	0 39	16 13
19	11 1	2 57	0 19	23 42	2 17	16 34	0 40	16 0
22	11 7	2 59	0 19	23 42	2 17	16 34	0 40	15 47
25	11 13	3 1	0 19	23 42	2 18	16 34	0 40	15 34
28	11 19	3 5	0 19	23 42	2 19	16 34	0 40	15 21

D M	D W	Sidereal Time.	☉ Long.	☉ Declin	☽ Long.	☽ Lat.	☽ Declin	♅ Long.
		H. M. S.	° ′ ″	° ′	° ′	° ′	° ′	° ′
1	F	20 44 54	12 ♒ 13 0	17 S 9	5 ♑ 25	5 N 3	18 S 18	5 ♋ 2
2	S	20 48 50	13 13 53	16 51	17 31	4 44	17 37	5 ℞ 0
3	𝔖	20 52 47	14 14 45	16 34	29 47	4 11	16 7	4 59
4	M	20 56 44	15 15 36	16 16	12 ♒ 15	3 26	13 50	4 57
5	Tu	21 0 40	16 16 25	15 58	24 53	2 30	10 52	4 55
6	W	21 4 37	17 17 13	15 40	7 ♓ 44	1 26	7 21	4 53
7	Th	21 8 33	18 18 0	15 21	20 46	0 16	3 25	4 51
8	F	21 12 30	19 18 45	15 2	4 ♈ 0	0 S 56	0 N 44	4 49
9	S	21 16 26	20 19 29	14 43	17 27	2 6	4 55	4 47
10	𝔖	21 20 23	21 20 11	14 24	1 ♉ 5	3 10	8 53	4 46
11	M	21 24 19	22 20 51	14 4	14 56	4 4	12 26	4 44
12	Tu	21 28 16	23 21 30	13 44	29 0	4 44	15 19	4 42
13	W	21 32 13	24 22 7	13 24	13 ♊ 15	5 8	17 19	4 41
14	Th	21 36 9	25 22 42	13 4	27 40	5 12	18 14	4 39
15	F	21 40 6	26 23 16	12 44	12 ♋ 9	4 57	17 58	4 38
16	S	21 44 2	27 23 48	12 23	26 39	4 23	16 32	4 37
17	𝔖	21 47 59	28 24 18	12 2	11 ♌ 2	3 32	14 4	4 35
18	M	21 51 55	29 24 46	11 41	25 15	2 29	10 46	4 34
19	Tu	21 55 52	0 ♓ 25 13	11 20	9 ♍ 10	1 18	6 56	4 33
20	W	21 59 48	1 25 38	10 58	22 46	0 4	2 49	4 32
21	Th	22 3 45	2 26 1	10 37	6 ♎ 0	1 N 9	1 S 20	4 31
22	F	22 7 42	3 26 23	10 15	18 52	2 16	5 18	4 30
23	S	22 11 38	4 26 44	9 53	1 ♏ 25	3 14	8 56	4 29
24	𝔖	22 15 35	5 27 3	9 31	13 41	4 3	12 5	4 28
25	M	22 19 31	6 27 21	9 9	25 45	4 40	14 41	4 27
26	Tu	22 23 28	7 27 37	8 47	7 ♐ 40	5 4	16 36	4 26
27	W	22 27 24	8 27 52	8 24	19 33	5 15	17 48	4 26
28	Th	22 31 21	9 28 5	8 1	1 ♑ 27	5 13	18 14	4 25

FEBRUARY XXVIII DAYS.

D M	Mars. Lat. °	′	Mars. Declin. °	′	Venus. Lat. °	′	Venus. Declin. °	′	Mercury. Lat. °	′	Mercury. Declin. °	′	Moon's Node. °	′
1	4 N	5	26 N	52	4 N	37	18 S	48	1 S	58	20 S	57	25 ♍	45
4	4	2	26	52	4	25	19	2	2	2	19	44	25	35
7	3	58	26	51	4	12	19	13	2	6	18	18	25	26
10	3	54	26	49	3	59	19	22	2	3	16	38	25	16
13	3	49	26	46	3	46	19	28	1	57	14	46	25	7
16	3	44	26	42	3	31	19	31	1	45	12	40	24	57
19	3	39	26	37	3	15	19	30	1	29	10	23	24	48
22	3	34	26	31	3	0	19	25	1	0	7	55	24	38
25	3	28	26	25	2	45	19	16	0	40	5	20	24	29
28	3	22	26	19	2	30	19	3	0	14	2	41	24	19

D M	♄ Long. °	′	♃ Long. °	′	♂ Long. °	′	♀ Long. °	′	☿ Long. °	′	Mutual Aspts.	Lunar Aspects. ☉	♅	♄	♃	♂	♀	☿
1	23 ♏	19	13 ♒	58	13 ♋	5	27 ♐	9	4 ♒	56	☉ ∠ ♀		☍					
2	23	22	14	12	12 ℞	52	27	59	6	36				✱		☍		
3	23	25	14	26	12	40	28	50	8	17	☉ ☌ ♃							
4	23	28	14	41	12	28	29	41	9	59		☌			☌			☌
5	23	31	14	55	12	17	0 ♑	33	11	41	☿ P ♀			□			✱	
6	23	34	15	9	12	7	1	26	13	24			△			△		
7	23	36	15	24	11	59	2	19	15	8	☿ ☌ ♃			△				
8	23	39	15	38	11	51	3	13	16	52	☉ ⚼ ♅		□				□	
9	23	41	15	52	11	43	4	8	18	38		✱			✱	□		✱
10	23	43	16	7	11	36	5	3	20	24	♀ ☍ ♅		✱				△	
11	23	45	16	21	11	30	5	59	22	11	☿ P ♄	□			□	✱		
12	23	47	16	35	11	24	6	55	23	59	☉ □ ♄			☍				□
13	23	49	16	49	11	20	7	52	25	48	☿ ⚼ ♂				△			
14	23	51	17	3	11	17	8	49	27	37		△	☌					△
15	23	53	17	17	11	14	9	47	29	27	☉ ⚼ ♂					☌	☍	
16	23	55	17	32	11	12	10	45	1 ♓	18				△				
17	23	56	17	46	11	11	11	44	3	9	♀ ☍ ♂				☍			
18	23	57	18	0	11	11	12	43	5	0	☿ △ ♅	☍		□				
19	23	59	18	15	11 D	11	13	42	6	53			✱			✱	△	☍
20	24	0	18	29	11	12	14	42	8	45				✱				
21	24	1	18	43	11	13	15	43	10	38	☿ △ ♂		□			□		
22	24	2	18	57	11	16	16	43	12	30					△		□	
23	24	3	19	11	11	19	17	44	14	23	☉ △ ♅	△	△					
24	24	4	19	25	11	23	18	46	16	15					□	△	✱	△
25	24	4	19	39	11	27	19	48	18	6				☌				
26	24	5	19	53	11	32	20	50	19	56		□						
27	24	5	20	7	11	38	21	52	21	44	☿ ✱ ♀				✱			□
28	24	5	20	21	11	45	22	55	23	31	☿ △ ♄		☍					

MARCH XXXI DAYS.

D M	Neptune. Long.	Neptune. Declin	Herschel. Lat.	Herschel. Declin.	Saturn. Lat.	Saturn. Declin.	Jupiter. Lat.	Jupiter. Declin.
	° ′	° ′	° ′	° ′	° ′	° ′	° ′	° ′
1	11 ♈ 21	3 N 5	0 N19	23 N42	2 N19	16 S 34	0 S 41	15 S 17
4	11 27	3 7	0 19	23 42	2 20	16 34	0 41	15 4
7	11 33	3 9	0 19	23 42	2 20	16 33	0 41	14 51
10	11 40	3 12	0 19	23 42	2 21	16 32	0 42	14 38
13	11 46	3 14	0 19	23 42	2 21	16 31	0 42	14 25
16	11 53	3 17	0 19	23 42	2 22	16 29	0 42	14 12
19	12 0	3 20	0 19	23 42	2 22	16 28	0 43	14 0
22	12 6	3 23	0 19	23 42	2 23	16 26	0 43	13 47
25	12 13	3 26	0 19	23 42	2 23	16 24	0 43	13 34
28	12 20	3 29	0 19	23 42	2 24	16 22	0 44	13 22
31	12 27	3 32	0 19	23 42	2 24	16 20	0 44	13 10

D M	D W	Sidereal Time.	☉ Long.	☉ Declin	☽ Long.	☽ Lat.	☽ Declin	♅ Long.
		H. M. S.	° ′ ″	° ′	° ′	° ′	° ′	° ′
1	F	22 35 17	10 ♓ 28 17	7 S 39	13 ♑ 26	4 N57	17 S 51	4 ♋ 25
2	S	22 39 14	11 28 27	7 16	25 36	4 28	16 39	4 ℞ 25
3	𝕾	22 43 10	12 28 36	6 53	7 ♒ 59	3 46	14 39	4 25
4	M	22 47 7	13 28 42	6 30	20 36	2 52	11 55	4 24
5	Tu	22 51 4	14 28 47	6 7	3 ♓ 31	1 48	8 33	4 24
6	W	22 55 0	15 28 50	5 44	16 42	0 37	4 41	4 23
7	Th	22 58 57	16 28 52	5 20	0 ♈ 8	0 S 37	0 31	4 23
8	F	23 2 53	17 28 51	4 57	13 49	1 51	3 N45	4 23
9	S	23 6 50	18 28 48	4 34	27 41	2 59	7 52	4 22
10	𝕾	23 10 46	19 28 43	4 10	11 ♉ 42	3 57	11 36	4 22
11	M	23 14 43	20 28 36	3 47	25 50	4 41	14 40	4 21
12	Tu	23 18 39	21 28 27	3 23	10 ♊ 2	5 9	16 53	4 21
13	W	23 22 36	22 28 15	2 59	24 14	5 17	18 3	4 D21
14	Th	23 26 33	23 28 1	2 36	8 ♋ 26	5 6	18 5	4 21
15	F	23 30 29	24 27 45	2 12	22 34	4 37	17 0	4 21
16	S	23 34 26	25 27 27	1 48	6 ♌ 36	3 52	14 54	4 22
17	𝕾	23 38 22	26 27 6	1 25	20 30	2 53	11 56	4 22
18	M	23 42 19	27 26 43	1 1	4 ♍ 13	1 45	8 21	4 22
19	Tu	23 46 15	28 26 18	0 37	17 44	0 32	4 22	4 23
20	W	23 50 12	29 25 51	0 14	1 ♎ 0	0 N42	0 15	4 23
21	Th	23 54 8	0 ♈ 25 21	0 N10	14 0	1 51	3 S 49	4 24
22	F	23 58 5	1 24 50	0 34	26 44	2 54	7 36	4 24
23	S	0 2 2	2 24 17	0 57	9 ♏ 13	3 47	10 59	4 25
24	𝕾	0 5 58	3 23 42	1 21	21 28	4 29	13 49	4 25
25	M	0 9 55	4 23 5	1 45	3 ♐ 33	4 58	16 0	4 26
26	Tu	0 13 51	5 22 27	2 8	15 30	5 13	17 28	4 27
27	W	0 17 48	6 21 47	2 32	27 23	5 15	18 10	4 27
28	Th	0 21 44	7 21 4	2 55	9 ♑ 17	5 4	18 4	4 28
29	F	0 25 41	8 20 20	3 19	21 16	4 40	17 10	4 29
30	S	0 29 37	9 19 35	3 42	3 ♒ 26	4 2	15 28	4 30
31	𝕾	0 33 34	10 18 47	4 5	15 50	3 13	13 2	4 31

MARCH XXXI DAYS.

D M	Mars. Lat.	Mars. Declin.	Venus. Lat.	Venus. Declin.	Mercury. Lat.	Mercury. Declin.	Moon's Node.
	° ′	° ′	° ′	° ′	° ′	° ′	° ′
1	3 N20	26 N16	2 N24	18 S 58	0 S 6	1 S 49	24 ♍ 15
4	3 16	26 9	2 8	18 39	0 N40	0 N43	24 5
7	3 11	26 1	1 52	18 15	1 25	3 2	23 56
10	3 6	25 53	1 37	17 47	2 3	4 57	23 46
13	3 1	25 44	1 22	17 15	2 41	6 23	23 37
16	2 56	25 34	1 7	16 38	3 4	7 12	23 27
19	2 52	25 24	0 52	15 57	3 26	7 21	23 18
22	2 48	25 13	0 38	15 11	3 28	6 51	23 8
25	2 43	25 1	0 24	14 22	3 15	5 47	22 59
28	2 39	24 49	0 11	13 29	2 46	4 20	22 49
31	2 35	24 36	0 S 2	12 32	2 5	2 44	22 40

D M	♄ Long.		♃ Long.		♂ Long.		♀ Long.		☿ Long.		Mutual Aspts.	Lunar Aspects. ☉	♅	♄	♃	♂	♀	☿
	°	′	°	′	°	′	°	′	°	′								
1	24 ♏	6	20 ♒	35	11 ♋	52	23 ♑	58	25 ♓	15	♀ ✱ ♄	✱				☍		
2	24	6	20	49	12	0	25	1	26	56				✱			☌	✱
3	24	6	21	3	12	8	26	5	28	35	☉ △ ♂							
4	24 ℞	6	21	17	12	17	27	9	0 ♈	9				□	☌			
5	24	6	21	31	12	26	28	13	1	38			△					
6	24	6	21	45	12	36	29	17	3	4		☌				△		
7	24	6	21	58	12	47	0 ♒	22	4	22	☿ □ ♅		□	△			✱	☌
8	24	5	22	12	12	58	1	27	5	35						□		
9	24	5	22	26	13	10	2	32	6	42			✱		✱		□	
10	24	4	22	40	13	23	3	37	7	40	☿ ∠ ♃					✱		
11	24	4	22	53	13	36	4	42	8	32		✱		☍	□			
12	24	3	23	6	13	50	5	48	9	16	☿ ⚼ ♄						△	✱
13	24	3	23	20	14	4	6	54	9	52		□			△			
14	24	2	23	33	14	18	8	0	10	20			☌			☌		□
15	24	1	23	46	14	32	9	6	10	40	☉ △ ♄	△		△				
16	24	0	23	59	14	47	10	12	10	50	♃ □ ♄						☍	△
17	23	59	24	13	15	3	11	19	10	53	☿ ✱ ♀			□	☍			
18	23	57	24	26	15	19	12	26	10 ℞	47			✱					
19	23	55	24	39	15	36	13	33	10	34				✱		✱		
20	23	53	24	53	15	53	14	40	10	14	☿ ∠ ♃	☍	□					
21	23	51	25	6	16	11	15	47	9	45						□	△	☍
22	23	49	25	19	16	29	16	54	9	10					△			
23	23	47	25	32	16	47	18	2	8	32	☿ ⚼ ♄		△					
24	23	45	25	45	17	6	19	10	7	48				☌	□	△	□	
25	23	43	25	57	17	25	20	18	7	1	☉ □ ♅	△						△
26	23	41	26	9	17	44	21	25	6	11	☉ ☌ ☿							
27	23	39	26	22	18	4	22	33	5	20					✱		✱	
28	23	37	26	34	18	24	23	41	4	29	☿ □ ♅	□	☍			☍		□
29	23	35	26	47	18	45	24	49	3	38	☉ ⚼ ♄			✱				
30	23	32	26	59	19	6	25	58	2	49	♀ P ♃							✱
31	23	29	27	11	19	27	27	6	2	3	♀ ☌ ♃	✱						

APRIL XXX DAYS.

D M	Neptune. Long.	Neptune. Declin	Herschel. Lat.	Herschel. Declin.	Saturn. Lat.	Saturn. Declin.	Jupiter. Lat.	Jupiter. Declin.
	° ′	° ′	° ′	° ′	° ′	° ′	° ′	° ′
1	12 ♈ 29	3 N 32	0 N 19	23 N 42	2 N 24	16 S 19	0 S 45	13 S 5
4	12 35	3 35	0 19	23 41	2 25	16 16	0 45	12 53
7	12 42	3 37	0 19	23 41	2 25	16 14	0 46	12 41
10	12 49	3 40	0 19	23 41	2 25	16 11	0 46	12 30
13	12 55	3 42	0 19	23 41	2 25	16 8	0 47	12 12
16	13 2	3 45	0 19	23 41	2 26	16 5	0 47	12 7
19	13 9	3 47	0 19	23 41	2 26	16 2	0 48	11 56
22	13 16	3 49	0 19	23 40	2 26	15 59	0 48	11 46
25	13 22	3 52	0 19	23 40	2 26	15 55	0 49	11 35
28	13 29	3 55	0 19	23 40	2 27	15 52	0 50	11 25

D M	D W	Sidereal Time.	☉ Long.	☉ Declin	☽ Long.	☽ Lat.	☽ Declin	♅ Long.
		H. M. S.	° ′ ″	° ′	° ′	° ′	° ′	° ′
1	M	0 37 30	11 ♈ 17 58	4 N 28	28 ♒ 32	2 N 13	9 S 55	4 ♋ 32
2	Tu	0 41 27	12 17 7	4 51	11 ♓ 35	1 5	6 13	4 33
3	W	0 45 24	13 16 13	5 15	25 1	0 S 9	2 7	4 34
4	Th	0 49 20	14 15 18	5 37	8 ♈ 47	1 24	2 N 12	4 35
5	F	0 53 17	15 14 21	6 0	22 53	2 35	6 30	4 36
6	S	0 57 13	16 13 22	6 23	7 ♉ 14	3 38	10 30	4 38
7	𝔖	1 1 10	17 12 20	6 46	21 45	4 28	13 54	4 39
8	M	1 5 6	18 11 17	7 8	6 ♊ 18	5 0	16 27	4 41
9	Tu	1 9 3	19 10 11	7 31	20 49	5 13	17 55	4 42
10	W	1 12 59	20 9 3	7 53	5 ♋ 13	5 7	18 14	4 44
11	Th	1 16 56	21 7 53	8 15	19 25	4 41	17 24	4 45
12	F	1 20 53	22 6 40	8 37	3 ♌ 24	4 0	15 31	4 46
13	S	1 24 49	23 5 25	8 59	17 9	3 5	12 46	4 48
14	𝔖	1 28 46	24 4 8	9 21	0 ♍ 40	2 0	9 22	4 49
15	M	1 32 42	25 2 48	9 42	13 58	0 50	5 32	4 51
16	Tu	1 36 39	26 1 27	10 3	27 3	0 N 21	1 30	4 52
17	W	1 40 35	27 0 3	10 25	9 ♎ 56	1 30	2 S 33	4 54
18	Th	1 44 32	27 58 37	10 46	22 37	2 33	6 26	4 56
19	F	1 48 28	28 57 9	11 7	5 ♏ 7	3 28	9 58	4 58
20	S	1 52 25	29 55 39	11 27	17 27	4 13	13 0	5 0
21	𝔖	1 56 22	0 ♉ 54 8	11 48	29 37	4 45	15 26	5 2
22	M	2 0 18	1 52 35	12 8	11 ♐ 38	5 4	17 11	5 4
23	Tu	2 4 15	2 51 0	12 28	23 34	5 9	18 9	5 6
24	W	2 8 11	3 49 24	12 48	5 ♑ 26	5 2	18 19	5 8
25	Th	2 12 8	4 47 46	13 8	17 19	4 41	17 41	5 10
26	F	2 16 4	5 46 6	13 27	29 17	4 8	16 16	5 13
27	S	2 20 1	6 44 25	13 46	11 ♒ 24	3 24	14 6	5 15
28	𝔖	2 23 57	7 42 42	14 5	23 46	2 29	11 16	5 18
29	M	2 27 54	8 40 57	14 24	6 ♓ 27	1 26	7 49	5 20
30	Tu	2 31 51	9 39 11	14 43	19 31	0 16	3 54	5 22

APRIL XXX DAYS.

D M	Mars. Lat.		Mars. Declin.		Venus. Lat.		Venus. Declin.		Mercury. Lat.		Mercury. Declin.		Moon's Node.	
	°	′	°	′	°	′	°	′	°	′	°	′	°	′
1	2	N33	24	N32	0	S 7	12	S 12	1	N50	2	N13	22 ♍	37
4	2	29	24	18	0	19	11	11	1	3	0	48	22	27
7	2	25	24	3	0	31	10	7	0	15	0	S 19	22	18
10	2	21	23	47	0	42	8	59	0	S 28	1	4	22	8
13	2	18	23	30	0	53	7	50	1	9	1	25	21	59
16	2	14	23	13	1	1	6	38	1	40	1	24	21	49
19	2	11	22	54	1	9	5	24	2	9	1	2	21	40
22	2	7	22	35	1	17	4	8	2	28	0	22	21	30
25	2	4	22	14	1	24	2	50	2	44	0	N34	21	21
28	2	0	21	53	1	30	1	32	2	50	1	36	21	11

D M	♄ Long.	♃ Long.	♂ Long.	♀ Long.	☿ Long.	Mutual Aspts.	Lunar Aspects. ☉	♅	♄	♃	♂	♀	☿
	° ′	° ′	° ′	° ′	° ′								
1	23 ♏ 26	27 ♒ 23	19 ♋ 48	28 ♒ 15	1 ♈ 20			△	□	☌		☌	
2	23 ℞ 24	27 36	20 10	29 23	0 ℞ 41	☉ ☌ ♆							
3	23 21	27 48	20 32	0 ♓ 32	0 6				△		△		☌
4	23 18	28 0	20 54	1 41	29 ♓ 36		☌	□					
5	23 15	28 12	21 17	2 50	29 11					✱	□		
6	23 12	28 24	21 40	3 59	28 52			✱				✱	
7	23 9	28 35	22 3	5 8	28 38	♀ △ ♅			☍	□	✱		✱
8	23 6	28 47	22 27	6 17	28 30							□	
9	23 3	28 59	22 51	7 27	28 D 29	♂ △ ♄	✱						
10	22 59	29 10	23 15	8 36	28 30	♀ ⚼ ♂		☌		△		△	□
11	22 56	29 22	23 39	9 46	28 36		□		△		☌		
12	22 52	29 33	24 3	10 55	28 47								△
13	22 48	29 45	24 28	12 5	29 5		△		□				
14	22 45	29 56	24 53	13 14	29 27			✱		☍			
15	22 41	0 ♓ 7	25 19	14 24	29 54	☉ □ ♂						☍	
16	22 37	0 18	25 44	15 34	0 ♈ 24				✱		✱		☍
17	22 34	0 29	26 10	16 44	0 59			□					
18	22 30	0 40	26 36	17 54	1 38		☍				□		
19	22 26	0 50	27 2	19 4	2 21			△		△			
20	22 22	1 0	27 28	20 14	3 7				☌			△	
21	22 18	1 11	27 55	21 24	3 56	☉ ✱ ♃				□	△		△
22	22 14	1 21	28 22	22 34	4 49	☿ □ ♅							
23	22 10	1 32	28 49	23 45	5 45							□	
24	22 6	1 42	29 16	24 55	6 44	☿ ⚼ ♄	△	☍		✱			□
25	22 1	1 52	29 44	26 6	7 46	☉ ✱ ♅			✱				
26	21 57	2 2	0 ♌ 11	27 16	8 51						☍	✱	
27	21 53	2 11	0 39	28 26	9 58		□						✱
28	21 48	2 21	1 7	29 37	11 8				□				
29	21 44	2 30	1 35	0 ♈ 47	12 20		✱	△		☌			
30	21 40	2 40	2 3	1 58	13 35	♀ △ ♂			△				

MAY XXXI DAYS.

D M	Neptune. Long.	Neptune. Declin	Herschel. Lat.	Herschel. Declin.	Saturn. Lat.	Saturn. Declin.	Jupiter. Lat.	Jupiter. Declin.
	° ′	° ′	° ′	° ′	° ′	° ′	° ′	° ′
1	13 ♈ 35	3 N 57	0 N 19	23 N 39	2 N 27	15 S 49	0 S 51	11 S 16
4	13 41	4 0	0 19	23 39	2 27	15 45	0 51	11 7
7	13 47	4 2	0 19	23 39	2 27	15 42	0 52	10 58
10	13 53	4 4	0 19	23 38	2 27	15 38	0 52	10 49
13	13 58	4 6	0 19	23 38	2 26	15 35	0 53	10 41
16	14 4	4 8	0 19	23 38	2 26	15 32	0 53	10 34
19	14 10	4 10	0 19	23 37	2 26	15 28	0 54	10 27
22	14 15	4 11	0 19	23 37	2 26	15 25	0 55	10 20
25	14 20	4 13	0 19	23 36	2 25	15 22	0 56	10 14
28	14 25	4 14	0 19	23 36	2 25	15 19	0 57	10 8
31	14 30	4 16	0 19	23 36	2 25	15 16	0 58	10 4

D M	D W	Sidereal Time.	☉ Long.	☉ Declin	☽ Long.	☽ Lat.	☽ Declin	♅ Long.
		H. M. S.	° ′ ″	° ′	° ′	° ′	° ′	° ′
1	W	2 35 47	10 ♉ 37 24	15 N 1	3 ♈ 1	0 S 56	0 N 20	5 ♋ 25
2	Th	2 39 44	11 35 35	15 19	16 57	2 8	4 42	5 27
3	F	2 43 40	12 33 44	15 37	1 ♉ 19	3 13	8 55	5 30
4	S	2 47 37	13 31 52	15 55	16 2	4 7	12 42	5 32
5	𝕾	2 51 33	14 29 58	16 12	0 ♊ 57	4 45	15 42	5 35
6	M	2 55 30	15 28 3	16 29	15 57	5 4	17 40	5 37
7	Tu	2 59 26	16 26 6	16 46	0 ♋ 51	5 2	18 25	5 40
8	W	3 3 23	17 24 6	17 2	15 33	4 40	17 54	5 43
9	Th	3 7 19	18 22 5	17 18	29 56	4 1	16 15	5 45
10	F	3 11 16	19 20 2	17 34	13 ♌ 58	3 8	13 39	5 48
11	S	3 15 13	20 17 58	17 50	27 38	2 5	10 21	5 51
12	𝕾	3 19 9	21 15 51	18 5	10 ♍ 58	0 57	6 34	5 54
13	M	3 23 6	22 13 42	18 20	24 0	0 N 12	2 34	5 57
14	Tu	3 27 2	23 11 32	18 35	6 ♎ 48	1 20	1 S 29	6 0
15	W	3 30 59	24 9 20	18 49	19 22	2 22	5 24	6 3
16	Th	3 34 55	25 7 7	19 3	1 ♏ 47	3 16	9 2	6 6
17	F	3 38 52	26 4 52	19 17	14 2	4 1	12 14	6 9
18	S	3 42 48	27 2 35	19 31	26 11	4 34	14 52	6 12
19	𝕾	3 46 45	28 0 18	19 44	8 ♐ 13	4 54	16 51	6 14
20	M	3 50 42	28 57 59	19 56	20 9	5 2	18 4	6 17
21	Tu	3 54 38	29 55 38	20 9	2 ♑ 3	4 56	18 30	6 20
22	W	3 58 35	0 ♊ 53 17	20 21	13 54	4 37	18 8	6 23
23	Th	4 2 31	1 50 55	20 33	25 47	4 7	16 58	6 26
24	F	4 6 28	2 48 31	20 44	7 ♒ 44	3 25	15 2	6 29
25	S	4 10 24	3 46 7	20 55	19 50	2 34	12 27	6 33
26	𝕾	4 14 21	4 43 41	21 6	2 ♓ 9	1 34	9 15	6 36
27	M	4 18 17	5 41 15	21 16	14 46	0 29	5 34	6 39
28	Tu	4 22 14	6 38 47	21 26	27 46	0 S 40	1 30	6 43
29	W	4 26 11	7 36 19	21 36	11 ♈ 13	1 49	2 N 46	6 46
30	Th	4 30 7	8 33 50	21 45	25 9	2 54	7 3	6 49
31	F	4 34 4	9 31 21	22 54	9 ♉ 34	3 50	11 3	6 52

MAY XXXI DAYS.

D M	Mars. Lat.		Mars. Declin.		Venus. Lat.		Venus. Declin.		Mercury. Lat.		Mercury. Declin.		Moon's Node.	
	°	′	°	′	°	′	°	′	°	′	°	′	°	′
1	1 N	57	21 N	31	1 S	36	0 S	13	2 S	56	3 N	10	21 ♍	2
4	1	54	21	7	1	40	1 N	7	2	52	4	45	20	52
7	1	51	20	43	1	44	2	28	2	46	6	31	20	43
10	1	48	20	17	1	47	3	48	2	34	8	25	20	33
13	1	45	19	51	1	49	5	8	2	16	10	26	20	24
16	1	42	19	24	1	50	6	28	1	54	12	31	20	14
19	1	39	18	56	1	51	7	46	1	28	14	40	20	5
22	1	36	18	26	1	51	9	4	1	1	16	48	19	55
25	1	33	17	56	1	50	10	20	0	28	18	52	19	46
28	1	31	17	25	1	49	11	34	0 N	2	20	46	19	36
31	1	28	16	53	1	47	12	46	0	34	22	25	19	27

D M	♄ Long.		♃ Long.		♂ Long.		♀ Long.		☿ Long.		Mutual Aspts.	Lunar Aspects. ☉	♅	♄	♃	♂	♀	☿
	°	′	°	′	°	′	°	′	°	′								
1	21 ♏	36	2 ♓	49	2 ♌	31	3 ♈	8	14 ♈	52			□			△	☌	
2	21 ℞	31	2	59	3	0	4	18	16	10								☌
3	21	27	3	8	3	29	5	29	17	32	♀ □ ♅		✱		✱	□		
4	21	22	3	17	3	58	6	40	18	56	♀ □ ♄	☌		☍				
5	21	18	3	26	4	27	7	51	20	22					□	✱		
6	21	13	3	34	4	56	9	2	21	50							✱	✱
7	21	9	3	43	5	25	10	13	23	21			☌		△			
8	21	4	3	51	5	55	11	24	24	53		✱		△			□	
9	21	0	4	0	6	25	12	35	26	27						☌		□
10	20	55	4	8	6	55	13	46	28	3		□		□			△	
11	20	51	4	16	7	25	14	57	29	42					☍			△
12	20	46	4	24	7	55	16	8	1 ♉	22			✱					
13	20	42	4	32	8	26	17	19	3	4		△		✱				
14	20	37	4	40	8	56	18	30	4	48	☿ ✱ ♃		□			✱		
15	20	33	4	47	9	27	19	41	6	34	☿ ✱ ♅						☍	
16	20	28	4	54	9	57	20	53	8	23			△		△			
17	20	24	5	1	10	28	22	5	10	14	☿ □ ♂					□		☍
18	20	19	5	8	10	59	23	16	12	7	☉ P ♂	☍		☌				
19	20	15	5	15	11	30	24	28	14	2					□	△		
20	20	10	5	22	12	1	25	40	15	59							△	
21	20	6	5	29	12	32	26	51	17	57	☿ P ♄		☍		✱			
22	20	1	5	35	13	4	28	2	19	57	☿ ☍ ♄							
23	19	56	5	41	13	36	29	14	22	0	☿ ∠ ♅			✱			□	△
24	19	52	5	47	14	7	0 ♉	25	24	4		△						
25	19	48	5	53	14	39	1	37	26	10	♀ P ♃			□		☍		
26	19	43	5	59	15	11	2	49	28	17		□	△		☌		✱	□
27	19	39	6	5	15	43	4	1	0 ♊	25	☉ □ ♃			△				
28	19	35	6	10	16	15	5	13	2	35								✱
29	19	31	6	15	16	47	6	24	4	46	♀ ✱ ♃	✱	□			△		
30	19	27	6	20	17	19	7	36	6	57	☿ □ ♃							
31	19	23	6	25	17	51	8	47	9	9	☉ ☌ ☿		✱		✱		☌	

JUNE XXX DAYS.

D M	Neptune. Long.	Neptune. Declin	Herschel. Lat.	Herschel. Declin.	Saturn. Lat.	Saturn. Declin.	Jupiter. Lat.	Jupiter. Declin.
	° ′	° ′	° ′	° ′	° ′	° ′	° ′	° ′
1	14 ♈ 31	4 N 17	0 N 19	23 N 35	2 N 24	15 S 15	0 S 59	10 S 2
4	14 35	4 18	0 19	23 35	2 24	15 12	0 59	9 58
7	14 39	4 20	0 19	23 34	2 24	15 9	1 0	9 54
10	14 42	4 21	0 19	23 34	2 23	15 7	1 1	9 51
13	14 46	4 23	0 19	23 33	2 23	15 5	1 2	9 49
16	14 49	4 24	0 19	23 32	2 22	15 3	1 3	9 47
19	14 52	4 25	0 19	23 32	2 22	15 1	1 4	9 46
22	14 55	4 26	0 19	23 31	2 21	14 59	1 4	9 45
25	14 57	4 26	0 19	23 30	2 20	14 57	1 5	9 46
28	14 59	4 27	0 19	23 30	2 19	14 56	1 6	9 46

D M	D W	Sidereal Time	☉ Long.	☉ Declin	☽ Long.	☽ Lat.	☽ Declin	♅ Long.
		H. M. S.	° ′ ″	° ′	° ′	° ′	° ′	° ′
1	S	4 38 0	10 ♊ 28 50	22 N 2	24 ♉ 24	4 S 32	14 N 29	6 ♋ 55
2	𝔖	4 41 57	11 26 19	22 10	9 ♊ 32	4 56	17 1	6 58
3	M	4 45 53	12 23 47	22 18	24 48	4 59	18 22	7 2
4	Tu	4 49 50	13 21 14	22 25	10 ♋ 0	4 42	18 24	7 5
5	W	4 53 47	14 18 39	22 32	24 59	4 5	17 8	7 9
6	Th	4 57 43	15 16 4	22 38	9 ♌ 37	3 12	14 46	7 12
7	F	5 1 40	16 13 27	22 44	23 48	2 9	11 34	7 16
8	S	5 5 36	17 10 50	22 50	7 ♍ 33	1 0	7 48	7 19
9	𝔖	5 9 33	18 8 11	22 55	20 52	0 N 10	3 46	7 23
10	M	5 13 29	19 5 31	23 0	3 ♎ 50	1 17	0 S 20	7 26
11	Tu	5 17 26	20 2 50	23 5	16 29	2 19	4 20	7 30
12	W	5 21 22	21 0 8	23 9	28 53	3 14	8 4	7 33
13	Th	5 25 19	21 57 26	23 13	11 ♏ 6	3 58	11 24	7 37
14	F	5 29 16	22 54 42	23 16	23 12	4 31	14 12	7 40
15	S	5 33 12	23 51 58	23 19	5 ♐ 11	4 52	16 23	7 44
16	𝔖	5 37 9	24 49 14	23 21	17 7	5 0	17 51	7 47
17	M	5 41 5	25 46 28	23 23	29 0	4 54	18 33	7 51
18	Tu	5 45 2	26 43 43	23 25	10 ♑ 52	4 36	18 25	7 54
19	W	5 48 58	27 40 57	23 26	22 45	4 6	17 29	7 57
20	Th	5 52 55	28 38 10	23 27	4 ♒ 41	3 25	15 47	8 0
21	F	5 56 51	29 35 23	23 27	16 41	2 35	13 23	8 4
22	S	6 0 48	0 ♋ 32 36	23 27	28 49	1 36	10 23	8 7
23	𝔖	6 4 45	1 29 49	23 27	11 ♓ 9	0 33	6 53	8 11
24	M	6 8 41	2 27 2	23 26	23 46	0 S 34	3 0	8 14
25	Tu	6 12 38	3 24 15	23 25	6 ♈ 43	1 41	1 N 7	8 18
26	W	6 16 34	4 21 27	23 23	20 4	2 45	5 18	8 21
27	Th	6 20 31	5 18 40	23 21	3 ♉ 53	3 41	9 21	8 25
28	F	6 24 27	6 15 53	23 18	18 11	4 25	13 0	8 29
29	S	6 28 24	7 13 7	23 15	2 ♊ 55	4 54	15 57	8 32
30	𝔖	6 32 20	8 10 20	23 12	18 0	5 2	17 53	8 36

JUNE XXX DAYS.

D M	Mars. Lat.	Mars. Declin.	Venus. Lat.	Venus. Declin.	Mercury. Lat.	Mercury. Declin.	Moon's Node.
	° ′	° ′	° ′	° ′	° ′	° ′	° ′
1	1 N27	16 N42	1 S 46	13 N 9	0 N45	22 N54	19 ♍ 23
4	1 24	16 9	1 43	14 18	1 10	24 6	19 13
7	1 21	15 35	1 39	15 24	1 34	24 54	19 4
10	1 18	14 59	1 34	16 27	1 47	25 17	18 54
13	1 16	14 23	1 29	17 26	1 59	25 16	18 45
16	1 13	13 47	1 24	18 21	1 58	24 54	18 35
19	1 11	13 9	1 18	19 13	1 56	24 15	18 26
22	1 9	12 31	1 12	20 0	1 44	23 21	18 16
25	1 7	11 52	1 6	20 42	1 30	22 17	18 7
28	1 4	11 12	0 59	21 20	0 50	21 4	17 57

D M	♄ Long.	♃ Long.	♂ Long.	♀ Long.	☿ Long.	Mutual Aspts.	Lunar Aspects. ☉	♅	♄	♃	♂	♀	☿
	° ′	° ′	° ′	° ′	° ′								
1	19 ♏ 19	6 ♓ 31	18 ♌ 23	9 ♉ 59	11 ♊ 21				☍		□		
2	19 ℞ 15	6 36	18 56	11 11	13 33	☿ P ♅	☌			□			☌
3	19 11	6 40	19 29	12 23	15 45	♂ □ ♄					✱		
4	19 7	6 44	20 2	13 35	17 56			☌		△		✱	
5	19 3	6 48	20 35	14 47	20 6	☿ ✱ ♂			△				
6	18 59	6 52	21 8	15 59	22 15	♀ P ♄	✱					□	
7	18 55	6 56	21 41	17 11	24 23	♀ P ♂			□		☌		✱
8	18 51	7 0	22 14	18 23	26 29	♀ ☍ ♄		✱		☍			
9	18 48	7 3	22 47	19 35	28 34		□		✱			△	
10	18 44	7 6	23 20	20 47	0 ♋ 36	♂ P ♄		□					□
11	18 41	7 9	23 53	21 59	2 37	♀ ∠ ♅	△						
12	18 38	7 12	24 27	23 11	4 35	☿ ⚼ ♄					✱		
13	18 35	7 15	25 0	24 23	6 32	☿ △ ♃		△		△			△
14	18 32	7 18	25 34	25 35	8 26	♀ □ ♂			☌		□	☍	
15	18 29	7 20	26 8	26 47	10 18					□			
16	18 26	7 22	26 42	27 59	12 7								
17	18 23	7 24	27 16	29 11	13 55		☍				△		
18	18 20	7 26	27 50	0 ♊ 23	15 40	☿ ∠ ♀		☍		✱			
19	18 17	7 27	28 24	1 36	17 22				✱				☍
20	18 14	7 28	28 58	2 48	19 2							△	
21	18 11	7 29	29 34	4 1	20 40	☉ ✱ ♂			□				
22	18 8	7 29	0 ♍ 7	5 13	22 15	☿ ⚼ ♃	△				☍		
23	18 5	7 30	0 41	6 25	23 48			△		☌		□	
24	18 2	7 30	1 16	7 38	25 19	♀ □ ♃			△				△
25	18 0	7 31	1 50	8 50	26 47	☉ ⚼ ♄	□	□				✱	
26	17 58	7 31	2 25	10 3	28 13								
27	17 56	7 31	3 0	11 15	29 36		✱	✱		✱	△		□
28	17 54	7 ℞ 31	3 35	12 28	0 ♌ 57				☍				
29	17 52	7 31	4 10	13 40	2 15	☉ △ ♃				□	□		✱
30	17 50	7 30	4 45	14 53	3 30	☉ ☌ ♅						☌	

JULY XXXI DAYS.

D M	Neptune. Long.	Neptune. Declin	Herschel. Lat.	Herschel. Declin.	Saturn. Lat.	Saturn. Declin.	Jupiter. Lat.	Jupiter. Declin.
	° ′	° ′	° ′	° ′	° ′	° ′	° ′	° ′
1	15 ♈ 0	4 N28	0 N19	23 N29	2 N19	14 S 55	1 S 7	9 S 48
4	15 2	4 28	0 19	23 28	2 18	14 54	1 8	9 50
7	15 3	4 28	0 19	23 28	2 18	14 54	1 9	9 53
10	15 4	4 28	0 19	23 27	2 17	14 53	1 10	9 56
13	15 5	4 29	0 19	23 26	2 16	14 53	1 11	10 0
16	15 6	4 29	0 19	23 26	2 15	14 53	1 12	10 5
19	15 6	4 28	0 19	23 25	2 14	14 54	1 12	10 10
22	15 ℞ 5	4 28	0 19	23 25	2 14	14 54	1 13	10 15
25	15 5	4 28	0 19	23 24	2 13	14 55	1 14	10 22
28	15 4	4 27	0 19	23 23	2 13	14 57	1 14	10 28
31	15 3	4 27	0 19	23 22	2 12	14 58	1 15	10 36

D M	D W	Sidereal Time.	☉ Long.	☉ Declin	☽ Long.	☽ Lat.	☽ Declin	♅ Long.
		H. M. S.	° ′ ″	° ′	° ′	° ′	° ′	° ′
1	M	6 36 17	9 ♋ 7 33	23 N 8	3 ♋ 16	4 S 50	18 N35	8 ♋ 40
2	Tu	6 40 14	10 4 47	23 4	18 33	4 47	17 55	8 43
3	W	6 44 10	11 2 0	23 0	3 ♌ 39	3 26	16 0	8 47
4	Th	6 48 7	11 59 13	22 55	18 26	2 23	13 3	8 50
5	F	6 52 3	12 56 26	22 49	2 ♍ 47	1 11	9 23	8 54
6	S	6 56 0	13 53 38	22 44	16 40	0 N 2	5 18	8 57
7	𝔖	6 59 56	14 50 51	22 38	0 ♎ 5	1 13	1 5	9 1
8	M	7 3 53	15 48 3	22 31	13 5	2 18	3 S 3	9 4
9	Tu	7 7 49	16 45 15	22 24	25 43	3 14	6 56	9 8
10	W	7 11 46	17 42 28	22 17	8 ♏ 5	4 0	10 25	9 12
11	Th	7 15 43	18 39 40	22 9	20 14	4 35	13 24	9 15
12	F	7 19 39	19 36 52	22 1	2 ♐ 14	4 56	15 47	9 19
13	S	7 23 36	20 34 5	21 53	14 9	5 5	17 28	9 22
14	𝔖	7 27 32	21 31 17	21 44	26 2	5 0	18 24	9 26
15	M	7 31 29	22 28 30	21 35	7 ♑ 54	4 43	18 31	9 29
16	Tu	7 35 25	23 25 43	21 25	19 48	4 13	17 49	9 33
17	W	7 39 22	24 22 57	21 15	1 ♒ 45	3 31	16 21	9 36
18	Th	7 43 18	25 20 11	21 5	13 47	2 40	14 8	9 39
19	F	7 47 15	26 17 25	20 54	25 56	1 42	11 17	9 42
20	S	7 51 12	27 14 41	20 43	8 ♓ 13	0 37	7 55	9 46
21	𝔖	7 55 8	28 11 57	20 32	20 41	0 S 30	4 9	9 50
22	M	7 59 5	29 9 13	20 20	3 ♈ 24	1 37	0 8	9 53
23	Tu	8 3 1	0 ♌ 6 31	20 8	16 24	2 41	3 N58	9 57
24	W	8 6 58	1 3 49	19 56	29 44	3 38	7 59	10 0
25	Th	8 10 54	2 1 9	19 43	13 ♉ 27	4 24	11 41	10 4
26	F	8 14 51	2 58 30	19 30	27 34	4 56	14 50	10 7
27	S	8 18 47	3 55 51	19 17	12 ♊ 5	5 9	17 8	10 11
28	𝔖	8 22 44	4 53 14	19 3	26 54	5 3	18 22	10 15
29	M	8 26 41	5 50 38	18 49	11 ♋ 55	4 36	18 20	10 18
30	Tu	8 30 37	6 48 3	18 35	27 0	3 50	17 0	10 21
31	W	8 34 34	7 45 28	18 20	12 ♌ 0	2 48	14 31	10 25

JULY XXXI DAYS.

D M	Mars. Lat.	Mars. Declin.	Venus. Lat.	Venus. Declin.	Mercury. Lat.	Mercury. Declin.	Moon's Node.
	° ′	° ′	° ′	° ′	° ′	° ′	° ′
1	1 N 2	10 N 31	0 S 52	21 N 52	0 N 42	19 N 46	17 ♍ 47
4	0 59	9 50	0 45	22 19	0 8	18 26	17 38
7	0 57	9 8	0 37	22 40	0 S 26	17 6	17 28
10	0 55	8 26	0 29	22 56	1 6	15 49	17 19
13	0 53	7 43	0 21	23 5	1 44	14 37	17 9
16	0 50	6 59	0 14	23 9	2 28	13 35	17 0
19	0 48	6 15	0 6	23 7	3 7	12 45	16 50
22	0 46	5 31	0 N 1	22 58	3 44	12 10	16 41
25	0 44	4 45	0 9	22 44	4 20	11 54	16 31
28	0 42	4 0	0 16	22 23	4 40	11 57	16 22
31	0 40	3 14	0 29	21 57	4 50	12 21	16 12

D M	♄ Long.	♃ Long.	♂ Long.	♀ Long.	☿ Long.	Mutual Aspts.	Lunar Aspects ☉	♅	♄	♃	♂	♀	☿
	° ′	° ′	° ′	° ′	° ′								
1	17 ♏ 48	7 ♓ 29	5 ♍ 20	16 ♊ 5	4 ♌ 43		☌	☌		△	✱		
2	17 ℞ 46	7 ℞ 28	5 55	17 17	5 53				△				
3	17 44	7 27	6 30	18 30	7 0								☌
4	17 43	7 26	7 5	19 43	8 5	♂ P ♃			□			✱	
5	17 41	7 25	7 40	20 56	9 6	♂ ☍ ♃		✱		☍	☌		
6	17 39	7 23	8 15	22 9	10 4		✱		✱			□	
7	17 38	7 21	8 51	23 21	11 0	♂ ✱ ♅							
8	17 37	7 19	9 26	24 34	11 52		□	□					✱
9	17 35	7 17	10 2	25 47	12 40							△	
10	17 34	7 15	10 38	27 0	13 26	☉ △ ♄		△		△	✱		□
11	17 33	7 12	11 13	28 12	14 6		△		☌				
12	17 32	7 9	11 49	29 25	14 44	☿ ∠ ♀				□			
13	17 31	7 6	12 25	0 ♋ 38	15 17						□		△
14	17 30	7 3	13 1	1 51	15 46	♀ ⚼ ♄							
15	17 30	7 0	13 38	3 4	16 12	☉ ⚼ ♃		☍		✱		☍	
16	17 29	6 56	14 14	4 17	16 33		☍		✱		△		
17	17 29	6 52	14 50	5 30	16 48								
18	17 28	6 48	15 27	6 43	17 0	♀ △ ♃			□				☍
19	17 27	6 44	16 3	7 56	17 6								
20	17 27	6 40	16 39	9 9	17 7			△		☌		△	
21	17 27	6 35	17 15	10 23	17 ℞ 6	♀ ☌ ♅			△		☍		
22	17 26	6 30	17 52	11 36	16 58		△						
23	17 D 26	6 25	18 28	12 49	16 45			□				□	△
24	17 27	6 20	19 4	14 2	16 27		□			✱			
25	17 27	6 15	19 41	15 16	16 4			✱	☍		△	✱	□
26	17 27	6 10	20 18	16 29	15 37		✱						
27	17 28	6 5	20 55	17 43	15 7	♀ △ ♄				□			✱
28	17 28	6 0	21 32	18 56	14 31						□		
29	17 29	5 54	22 9	20 9	13 52			☌	△	△			
30	17 30	5 48	22 46	21 23	13 10	♀ ⚼ ♃					✱	☌	
31	17 31	5 42	23 23	22 36	12 26		☌		□				☌

AUGUST XXXI DAYS.

D M	Neptune. Long.	Neptune. Declin	Herschel. Lat.	Herschel. Declin.	Saturn. Lat.	Saturn. Declin.	Jupiter. Lat.	Jupiter. Declin.
	° ′	° ′	° ′	° ′	° ′	° ′	° ′	° ′
1	15 ♈ 2	4 N27	0 N19	23 N22	2 N11	14 S 58	1 S 15	10 S 38
4	15 ℞ 1	4 26	0 19	23 21	2 11	15 0	1 16	10 46
7	14 59	4 25	0 19	23 20	2 10	15 2	1 17	10 54
10	14 58	4 24	0 19	23 20	2 9	15 4	1 17	11 2
13	14 56	4 23	0 19	23 19	2 8	15 7	1 18	11 10
16	14 53	4 22	0 19	23 18	2 8	15 9	1 18	11 19
19	14 50	4 21	0 19	23 17	2 7	15 12	1 18	11 28
22	14 47	4 20	0 19	23 17	2 6	15 15	1 19	11 37
25	14 44	4 18	0 19	23 16	2 5	15 18	1 19	11 46
28	14 40	4 17	0 20	23 15	2 5	15 22	1 19	11 54
31	14 36	4 15	0 20	23 15	2 4	15 25	1 19	12 3

D M	D W	Sidereal Time.	☉ Long.	☉ Declin	☽ Long.	☽ Lat.	☽ Declin	♅ Long.
		H. M. S.	° ′ ″	° ′	° ′	° ′	° ′	° ′
1	Th	8 38 31	8 ♌ 42 55	18 N 6	26 ♌ 44	1 S 36	11 N 6	10 ♋ 28
2	F	8 42 27	9 40 22	17 50	11 ♍ 7	0 19	7 6	10 32
3	S	8 46 23	10 37 50	17 35	25 4	0 N57	2 50	10 35
4	𝔖	8 50 20	11 35 19	17 19	8 ♎ 35	2 7	1 S 27	10 38
5	M	8 54 16	12 32 48	17 3	21 40	3 9	5 32	10 42
6	Tu	8 58 13	13 30 18	16 47	4 ♏ 22	3 59	9 14	10 45
7	W	9 2 10	14 27 49	16 30	16 45	4 37	12 26	10 48
8	Th	9 6 6	15 25 21	16 13	28 55	5 1	15 1	10 51
9	F	9 10 3	16 22 54	15 56	10 ♐ 54	5 12	16 56	10 54
10	S	9 13 59	17 20 28	15 39	22 48	5 10	18 6	10 58
11	𝔖	9 17 56	18 18 3	15 21	4 ♑ 40	4 54	18 28	11 1
12	M	9 21 52	19 15 38	15 3	16 33	4 26	18 2	11 4
13	Tu	9 25 49	20 13 15	14 45	28 31	3 46	16 47	11 7
14	W	9 29 45	21 10 53	14 27	10 ♒ 35	2 55	14 47	11 10
15	Th	9 33 42	22 8 32	14 8	22 48	1 56	12 6	11 13
16	F	9 37 39	23 6 13	13 49	5 ♓ 9	0 50	8 51	11 16
17	S	9 41 35	24 3 54	13 30	17 42	0 S 19	5 9	11 19
18	𝔖	9 45 32	25 1 37	13 11	0 ♈ 26	1 28	1 10	11 22
19	M	9 49 28	25 59 22	12 52	13 24	2 34	2 N56	11 25
20	Tu	9 53 25	26 57 9	12 32	26 37	3 33	6 57	11 28
21	W	9 57 21	27 54 57	12 12	10 ♉ 5	4 22	10 42	11 30
22	Th	10 1 18	28 52 46	11 52	23 49	4 56	13 57	11 33
23	F	10 5 14	29 50 38	11 32	7 ♊ 50	5 14	16 28	11 35
24	S	10 9 11	0 ♍ 48 32	11 12	22 7	5 13	18 0	11 38
25	𝔖	10 13 8	1 46 27	10 51	6 ♋ 36	4 53	18 25	11 40
26	M	10 17 4	2 44 24	10 30	21 15	4 13	17 36	11 43
27	Tu	10 21 1	3 42 23	10 9	5 ♌ 56	3 17	15 37	11 45
28	W	10 24 57	4 40 24	9 48	20 34	2 8	12 38	11 48
29	Th	10 28 54	5 38 26	9 27	5 ♍ 2	0 51	8 53	11 50
30	F	10 32 50	6 36 30	9 6	19 15	0 N28	4 41	11 53
31	S	10 36 47	7 34 35	8 44	3 ♎ 7	1 43	0 20	11 56

AUGUST XXXI DAYS.

D M	Mars. Lat.		Mars. Declin.		Venus. Lat.		Venus. Declin.		Mercury. Lat.		Mercury. Declin.		Moon's Node.	
	°	′	°	′	°	′	°	′	°	′	°	′	°	′
1	0	N39	2	N59	0	N26	21	N47	4	S 56	12	N33	16 ♍	9
4	0	37	2	12	0	32	21	13	4	42	13	18	16	0
7	0	35	1	26	0	39	20	33	4	20	14	14	15	50
10	0	32	0	39	0	46	19	48	3	43	15	11	15	41
13	0	30	0 S	8	0	52	18	58	2	53	16	5	15	31
16	0	28	0	55	0	57	18	3	2	3	16	46	15	22
19	0	26	1	43	1	2	17	3	1	13	17	11	15	12
22	0	24	2	30	1	7	15	59	0	25	17	15	15	3
25	0	22	3	18	1	11	14	51	0	N20	16	53	14	53
28	0	20	4	5	1	15	13	40	1	49	16	4	14	44
31	0	18	4	53	1	18	12	25	1	17	14	50	14	34

D M	♄ Long.		♃ Long.		♂ Long.		♀ Long.		☿ Long.		Mutual Aspts.	Lunar Aspects. ☉	♅	♄	♃	♂	♀	☿
	°	′	°	′	°	′	°	′	°	′								
1	17 ♏	32	5 ♓	36	24 ♍	0	23 ♋	50	11 ♌	41	♀ ✱ ♂							
2	17	33	5 ℞	30	24	37	25	3	10 ℞	55			✱	✱	☍			
3	17	34	5	23	25	15	26	17	10	9	☉ ☌ ☿					☌	✱	
4	17	35	5	16	25	52	27	30	9	24		✱	□					✱
5	17	36	5	10	26	29	28	44	8	41								
6	17	37	5	3	27	6	29	57	8	1					△		□	□
7	17	38	4	56	27	44	1 ♌	11	7	24		□	△	☌				
8	17	40	4	49	28	22	2	25	6	51					□	✱	△	
9	17	42	4	42	29	0	3	39	6	23	☿ P ♄							△
10	17	44	4	35	29	37	4	52	6	1	☉ □ ♄	△						
11	17	46	4	28	0 ♎	15	6	6	5	44					✱	□		
12	17	48	4	21	0	53	7	20	5	34	☉ P ♄		☍	✱				
13	17	50	4	13	1	31	8	34	5	31						△		
14	17	52	4	6	2	9	9	48	5	D35							☍	☍
15	17	54	3	59	2	47	11	2	5	47	♂ ∠ ♄	☍		□				
16	17	57	3	51	3	25	12	16	6	6			△		☌			
17	17	59	3	44	4	3	13	30	6	32				△				
18	18	2	3	36	4	41	14	44	7	5	☿ P ♀					☍		
19	18	5	3	28	5	19	15	58	7	46			□				△	△
20	18	8	3	20	5	57	17	12	8	34	☉ ∠ ♅	△			✱			
21	18	11	3	12	6	36	18	26	9	29	♀ □ ♄		✱					□
22	18	14	3	4	7	14	19	40	10	31	☉ P ♃	□		☍			□	
23	18	17	2	56	7	53	20	54	11	40					□	△		✱
24	18	20	2	48	8	31	22	8	12	54							✱	
25	18	23	2	40	9	9	23	22	14	14		✱	☌		△	□		
26	18	26	2	32	9	49	24	36	15	40	☉ ☍ ♃			△				
27	18	30	2	24	10	28	25	51	17	11	♀ ∠ ♂					✱		
28	18	33	2	16	11	7	27	5	18	46	☿ □ ♄			□			☌	☌
29	18	37	2	9	11	45	28	20	20	25	♂ □ ♅	☌	✱		☍			
30	18	40	2	1	12	24	29	34	22	8				✱				
31	18	44	1	53	13	3	0 ♍	48	23	54								

SEPTEMBER XXX DAYS.

D M	Neptune. Long.	Neptune. Declin	Herschel. Lat.	Herschel. Declin.	Saturn. Lat.	Saturn. Declin.	Jupiter. Lat.	Jupiter. Declin.
	° ′	° ′	° ′	° ′	° ′	° ′	° ′	° ′
1	14 ♈ 35	4 N 15	0 N 20	23 N 15	2 N 4	15 S 27	1 S 20	12 S 6
4	14 ℞ 32	4 14	0 20	23 14	2 3	15 31	1 20	12 14
7	14 28	4 12	0 20	23 14	2 3	15 35	1 20	12 22
10	14 24	4 10	0 20	23 13	2 2	15 39	1 20	12 30
13	14 20	4 8	0 20	23 13	2 1	15 43	1 20	12 38
16	14 16	4 6	0 20	23 12	2 0	15 47	1 20	12 45
19	14 11	4 4	0 20	23 12	1 59	15 52	1 20	12 52
22	14 6	4 2	0 20	23 12	1 59	15 57	1 19	12 58
25	14 1	4 0	0 20	23 11	1 58	16 1	1 19	13 4
28	13 56	3 58	0 20	23 11	1 58	16 6	1 19	13 9

D M	D W	Sidereal Time.	☉ Long.	☉ Declin	☽ Long.	☽ Lat.	☽ Declin	♅ Long.
		H. M. S.	° ′ ″	° ′	° ′	° ′	° ′	° ′
1	𝔖	10 40 43	8 ♍ 32 42	8 N 22	16 ♎ 37	2 N 50	3 S 55	11 ♋ 58
2	M	10 44 40	9 30 50	8 0	29 44	3 46	7 51	12 0
3	Tu	10 48 36	10 29 0	7 38	12 ♏ 29	4 30	11 18	12 2
4	W	10 52 33	11 27 12	7 16	24 55	4 59	14 10	12 4
5	Th	10 56 30	12 25 25	6 54	7 ♐ 6	5 15	16 20	12 6
6	F	11 0 26	13 23 39	6 32	19 7	5 16	17 45	12 8
7	S	11 4 23	14 21 56	6 9	1 ♑ 1	5 4	18 23	12 10
8	𝔖	11 8 19	15 20 13	5 47	12 53	4 39	18 12	12 12
9	M	11 12 16	16 18 32	5 24	24 48	4 1	17 13	12 14
10	Tu	11 16 12	17 16 53	5 2	6 ♒ 50	3 13	15 27	12 16
11	W	11 20 9	18 15 15	4 39	19 1	2 16	12 59	12 18
12	Th	11 24 5	19 13 39	4 16	1 ♓ 24	1 11	9 53	12 20
13	F	11 28 2	20 12 5	3 53	14 1	0 2	6 16	12 22
14	S	11 31 59	21 10 33	3 30	26 53	1 S 9	2 18	12 24
15	𝔖	11 35 55	22 9 2	3 7	10 ♈ 0	2 18	1 N 51	12 26
16	M	11 39 52	23 7 34	2 44	23 21	3 20	5 59	12 27
17	Tu	11 43 48	24 6 7	2 21	6 ♉ 56	4 12	9 52	12 29
18	W	11 47 45	25 4 43	1 57	20 42	4 50	13 16	12 31
19	Th	11 51 41	26 3 21	1 34	4 ♊ 38	5 12	15 58	12 33
20	F	11 55 38	27 2 2	1 11	18 43	5 15	17 44	12 34
21	S	11 59 34	28 0 44	0 47	2 ♋ 53	5 0	18 26	12 36
22	𝔖	12 3 31	28 59 29	0 24	17 8	4 26	17 58	12 37
23	M	12 7 28	29 58 16	0 1	1 ♌ 24	3 35	16 21	12 39
24	Tu	12 11 24	0 ♎ 57 6	0 S 23	15 39	2 32	13 44	12 40
25	W	12 15 21	1 55 57	0 46	29 49	1 19	10 18	12 41
26	Th	12 19 17	2 54 51	1 10	13 ♍ 52	0 2	6 19	12 43
27	F	12 23 14	3 53 47	1 33	27 43	1 N 13	2 2	12 44
28	S	12 27 10	4 52 45	1 56	11 ♎ 19	2 23	2 S 17	12 45
29	𝔖	12 31 7	5 51 44	2 20	24 39	3 24	6 23	12 46
30	M	12 35 3	6 50 46	2 43	7 ♏ 40	4 13	10 5	12 47

SEPTEMBER XXX DAYS.

D M	Mars. Lat.		Mars. Declin.		Venus. Lat.		Venus. Declin.		Mercury. Lat.		Mercury. Declin.		Moon's Node.	
	°	′	°	′	°	′	°	′	°	′	°	′	°	′
1	0 N	18	5 S	9	1 N	19	11 N	59	1 N	27	14 N	20	14 ♍	31
4	0	16	5	56	1	21	10	40	1	40	12	36	14	21
7	0	14	6	43	1	23	9	18	1	47	10	35	14	12
10	0	12	7	30	1	24	7	54	1	45	8	24	14	2
13	0	10	8	17	1	25	6	28	1	41	6	6	13	53
16	0	8	9	3	1	26	5	0	1	30	3	44	13	43
19	0	6	9	49	1	25	3	31	1	16	1	22	13	34
22	0	4	10	34	1	24	2	1	1	0	1 S	0	13	24
25	0	2	11	19	1	22	0	30	0	40	3	18	13	15
28	0	0	12	4	1	20	1 S	1	0	20	5	34	13	5

D M	♄ Long.		♃ Long.		♂ Long.		♀ Long.		☿ Long.		Mutual Aspts.	Lunar Aspects. ☉	♅	♄	♃	♂	♀	☿
	°	′	°	′	°	′	°	′	°	′								
1	18 ♏	48	1 ♓	45	13 ♎	42	2 ♍	3	25 ♌	41	♀ ☍ ♃		□			☌		
2	18	52	1 ℞	38	14	21	3	17	27	32					△		✱	✱
3	18	56	1	30	15	0	4	31	29	25	☿ ∠ ♂	✱	△					
4	18	59	1	22	15	40	5	46	1 ♍	19	☿ ☍ ♃			☌				
5	19	3	1	15	16	19	7	0	3	13	☉ ✱ ♅	□			□		□	□
6	19	7	1	7	16	58	8	14	5	8	☉ P ♂					✱		
7	19	12	0	59	17	38	9	28	7	4					✱			
8	19	16	0	52	18	17	10	43	8	59		△	☍			□	△	△
9	19	21	0	44	18	56	11	57	10	54	♀ ✱ ♅			✱				
10	19	25	0	37	19	36	13	12	12	49	☿ ☌ ♀							
11	19	30	0	30	20	16	14	26	14	43	☿ P ♂			□		△		
12	19	34	0	23	20	56	15	41	16	37	☉ ✱ ♄				☌			
13	19	39	0	16	21	36	16	55	18	30			△	△			☍	☍
14	19	43	0	9	22	16	18	10	20	22	☿ ✱ ♄	☍						
15	19	48	0	2	22	56	19	25	22	13	☉ ☌ ☿		□					
16	19	53	29 ♒	55	23	36	20	40	24	4					✱	☍		
17	19	58	29	48	24	16	21	55	25	53			✱					
18	20	3	29	42	24	56	23	10	27	42		△		☍			△	
19	20	8	29	36	25	36	24	25	29	29					□			△
20	20	13	29	30	26	17	25	40	1 ♎	16								
21	20	18	29	24	26	57	26	55	3	2		□			△	△	□	□
22	20	23	29	18	27	37	28	10	4	46			☌	△				
23	20	28	29	12	28	18	29	24	6	30		✱				□	✱	✱
24	20	33	29	6	28	58	0 ♎	39	8	12				□				
25	20	39	29	1	29	38	1	53	9	54	☉ ☌ ♀				☍	✱		
26	20	45	28	56	0 ♏	19	3	8	11	35			✱	✱				
27	20	51	28	51	0	59	4	23	13	15	☿ □ ♅	☌						
28	20	57	28	46	1	40	5	38	14	54	☿ □ ♃		□				☌	☌
29	21	3	28	41	2	21	6	53	16	32	☉ ∠ ♄				△			
30	21	9	28	36	3	2	8	8	18	9			△			☌		

OCTOBER XXXI DAYS.

D M	Neptune. Long.	Neptune. Declin	Herschel. Lat.	Herschel. Declin.	Saturn. Lat.	Saturn. Declin.	Jupiter. Lat.	Jupiter. Declin.
	° ′	° ′	° ′	° ′	° ′	° ′	° ′	° ′
1	13 ♈ 51	3 N57	0 N20	23 N11	1 N57	16 S 11	1 S 19	13 S 13
4	13 ℞ 46	3 55	0 20	23 11	1 57	16 16	1 19	13 17
7	13 41	3 53	0 20	23 11	1 56	16 21	1 18	13 21
10	13 36	3 51	0 21	23 10	1 56	16 27	1 18	13 24
13	13 31	3 49	0 21	23 10	1 55	16 32	1 17	13 26
16	13 25	3 47	0 21	23 10	1 55	16 37	1 17	13 27
19	13 21	3 45	0 21	23 10	1 54	16 42	1 16	13 28
22	13 16	3 43	0 21	23 11	1 54	16 48	1 16	13 28
25	13 12	3 41	0 21	23 11	1 53	16 53	1 15	13 28
28	13 7	3 40	0 21	23 11	1 53	16 58	1 15	13 27
31	13 2	3 38	0 21	23 11	1 53	17 4	1 14	13 25

D M	D W	Sidereal Time.	☉ Long.	☉ Declin	☽ Long.	☽ Lat.	☽ Declin	♅ Long.
		H. M. S.	° ′ ″	° ′	° ′	° ′	° ′	° ′
1	Tu	12 39 0	7 ♎ 49 50	3 S 7	20 ♏ 23	4 N48	13 S 14	12 ♋ 48
2	W	12 42 56	8 48 56	3 30	2 ♐ 49	5 8	15 42	12 49
3	Th	12 46 53	9 48 3	3 53	15 1	5 14	17 25	12 50
4	F	12 50 50	10 47 12	4 16	27 2	5 6	18 20	12 51
5	S	12 54 46	11 46 24	4 39	8 ♑ 55	4 45	18 25	12 51
6	𝔖	12 58 43	12 45 36	5 3	20 47	4 11	17 42	12 52
7	M	13 2 39	13 44 51	5 26	2 ♒ 42	3 27	16 12	12 52
8	Tu	13 6 36	14 44 7	5 49	14 44	2 34	13 59	12 53
9	W	13 10 32	15 43 26	6 12	26 58	1 32	11 5	12 53
10	Th	13 14 29	16 42 46	6 34	9 ♓ 28	0 25	7 38	12 54
11	F	13 18 25	17 42 7	6 57	22 17	0 S 45	3 45	12 54
12	S	13 22 22	18 41 31	7 20	5 ♈ 27	1 54	0 N25	12 55
13	𝔖	13 26 19	19 40 57	7 42	18 57	2 59	4 40	12 55
14	M	13 30 15	20 40 25	8 5	2 ♉ 45	3 54	8 46	12 55
15	Tu	13 34 12	21 39 54	8 27	16 48	4 36	12 27	12 56
16	W	13 38 8	22 39 27	8 49	1 ♊ 1	5 2	15 26	12 56
17	Th	13 42 5	23 39 1	9 11	15 20	5 10	17 31	12 56
18	F	13 46 1	24 38 37	9 33	29 40	4 58	18 30	12 56
19	S	13 49 58	25 38 16	9 55	13 ♋ 57	4 27	18 18	12 57
20	𝔖	13 53 54	26 37 58	10 17	28 7	3 41	16 57	12 ℞ 57
21	M	13 57 51	27 37 41	10 38	12 ♌ 10	2 41	14 34	12 57
22	Tu	14 1 48	28 37 27	11 0	26 4	1 33	11 23	12 57
23	W	14 5 44	29 37 15	11 21	9 ♍ 49	0 20	7 35	12 56
24	Th	14 9 41	0 ♏ 37 5	11 42	23 25	0 N53	3 26	12 56
25	F	14 13 37	1 36 57	12 3	6 ♎ 50	2 2	0 S 50	12 55
26	S	14 17 34	2 36 52	12 23	20 4	3 4	5 1	12 55
27	𝔖	14 21 30	3 36 48	12 44	3 ♏ 6	3 54	8 53	12 54
28	M	14 25 27	4 36 47	13 4	15 54	4 32	12 16	12 54
29	Tu	14 29 23	5 36 47	13 24	28 28	4 56	15 1	12 53
30	W	14 33 20	6 36 49	13 44	10 ♐ 49	5 5	17 3	12 53
31	Th	14 37 17	7 36 53	14 4	22 58	5 1	18 16	12 52

OCTOBER XXXI DAYS.

D M	Mars. Lat.		Mars. Declin.		Venus. Lat.		Venus. Declin.		Mercury. Lat.		Mercury. Declin.		Moon's Node.	
	°	′	°	′	°	′	°	′	°	′	°	′	°	′
1	0 S	2	12 S	48	1 N	17	2 S	33	0 S	0	7 S	44	12 ♍	56
4	0	4	13	31	1	13	4	4	0	21	9	50	12	46
7	0	6	14	13	1	9	5	34	0	43	11	50	12	36
10	0	8	14	55	1	5	7	3	1	4	13	44	12	27
13	0	10	15	35	1	0	8	31	1	25	15	31	12	17
16	0	12	16	15	0	55	9	57	1	45	17	11	12	8
19	0	14	16	54	0	49	11	21	2	2	18	42	11	58
22	0	15	17	31	0	43	12	43	2	17	20	5	11	49
25	0	17	18	8	0	37	14	2	2	31	21	17	11	39
28	0	19	18	43	0	31	15	18	2	40	22	19	11	30
31	0	21	19	16	0	24	16	30	2	47	23	8	11	20

D M	♄ Long.		♃ Long.		♂ Long.		♀ Long.		☿ Long.		Mutual Aspts.	Lunar Aspects. ☉	♅	♄	♃	♂	♀	☿
	°	′	°	′	°	′	°	′	°	′								
1	21 ♏	15	28 ♒	32	3 ♏	43	9 ♎	23	19 ♎	46				☌				
2	21	21	28 ℞	27	4	24	10	37	21	21					□			
3	21	27	28	23	5	5	11	52	22	56	♂ P ♃	✱					✱	
4	21	33	28	19	5	46	13	7	24	30	♀ □ ♅				✱			✱
5	21	39	28	15	6	27	14	22	26	3	☿ △ ♃	□	☍			✱		
6	21	45	28	11	7	8	15	37	27	35				✱			□	
7	21	51	28	8	7	50	16	52	29	7						□		□
8	21	57	28	5	8	31	18	7	0 ♏	38		△					△	
9	22	3	28	2	9	12	19	22	2	8				□	☌			△
10	22	9	27	59	9	53	20	37	3	37			△			△		
11	22	15	27	56	10	35	21	52	5	6				△				
12	22	21	27	54	11	17	23	7	6	34	♃ □ ♅							
13	22	28	27	52	11	59	24	22	8	1		☍	□				☍	
14	22	34	27	50	12	40	25	37	9	27	♂ △ ♅				✱			
15	22	41	27	48	13	22	26	52	10	52	☿ P ♂		✱	☍		☍		☍
16	22	47	27	46	14	4	28	7	12	17	☿ △ ♅				□			
17	22	54	27	44	14	46	29	22	13	41								
18	23	0	27	43	15	28	0 ♏	37	15	4		△			△		△	
19	23	7	27	42	16	10	1	52	16	25	☿ ☌ ♂		☌			△		△
20	23	13	27	42	16	52	3	7	17	46		□		△			□	
21	23	20	27	42	17	34	4	22	19	6	☉ △ ♃					□		
22	23	26	27	41	18	16	5	37	20	25		✱		□	☍			□
23	23	33	27	41	18	58	6	52	21	42			✱				✱	
24	23	40	27	41	19	40	8	7	22	58	♀ P ♃			✱		✱		✱
25	23	47	27 D	42	20	23	9	22	24	13	☿ ☌ ♄		□					
26	23	54	27	42	21	5	10	37	25	26								
27	24	0	27	43	21	48	11	53	26	38		☌			△			
28	24	7	27	43	22	30	13	8	27	48	☿ □ ♃		△				☌	
29	24	14	27	44	23	13	14	23	28	55	☉ P ♃			☌	□	☌		☌
30	24	21	27	45	23	56	15	38	0 ♐	0								
31	24	28	27	46	24	39	16	53	1	3	♂ ☌ ♄				✱			

NOVEMBER XXX DAYS.

D M	Neptune. Long.	Neptune. Declin	Herschel. Lat.	Herschel. Declin.	Saturn. Lat.	Saturn. Declin.	Jupiter. Lat.	Jupiter. Declin.
	° ′	° ′	° ′	° ′	° ′	° ′	° ′	° ′
1	13 ♈ 1	3 N 37	0 N 21	23 N 11	1 N 53	17 S 5	1 S 14	13 S 25
4	12 ℞ 57	3 35	0 21	23 12	1 53	17 11	1 14	13 22
7	12 53	3 34	0 21	23 12	1 53	17 16	1 13	13 19
10	12 49	3 32	0 22	23 12	1 52	17 21	1 13	13 15
13	12 44	3 31	0 22	23 13	1 52	17 26	1 13	13 11
16	12 41	3 30	0 22	23 13	1 52	17 31	1 12	13 6
19	12 38	3 29	0 22	23 14	1 52	17 36	1 12	13 0
22	12 35	3 28	0 22	23 14	1 52	17 41	1 12	12 54
25	12 32	3 27	0 22	23 15	1 52	17 46	1 11	12 47
28	12 29	3 26	0 22	23 15	1 52	17 51	1 11	12 40

D M	D W	Sidereal Time.	☉ Long.	☉ Declin	☽ Long.	☽ Lat.	☽ Declin	♅ Long.
		H. M. S.	° ′ ″	° ′	° ′	° ′	° ′	° ′
1	F	14 41 13	8 ♏ 36 58	14 S 23	4 ♑ 57	4 N 43	18 S 39	12 ♋ 52
2	S	14 45 10	9 37 6	14 42	16 49	4 13	18 13	12 ℞ 51
3	𝕾	14 49 6	10 37 14	15 1	28 38	3 32	16 59	12 51
4	M	14 53 3	11 37 25	15 20	10 ♒ 30	2 42	15 1	12 50
5	Tu	14 56 59	12 37 36	15 38	22 30	1 44	12 23	12 49
6	W	15 0 56	13 37 50	15 56	4 ♓ 43	0 41	9 9	12 48
7	Th	15 4 52	14 38 4	16 14	17 13	0 S 26	5 27	12 47
8	F	15 8 49	15 38 21	16 32	0 ♈ 6	1 33	1 23	12 46
9	S	15 12 46	16 38 38	16 49	13 25	2 37	2 N 53	12 45
10	𝕾	15 16 42	17 38 58	17 6	27 9	3 35	7 7	12 44
11	M	15 20 39	18 39 18	17 23	11 ♉ 18	4 20	11 6	12 43
12	Tu	15 24 35	19 39 41	17 40	25 47	4 51	14 31	12 42
13	W	15 28 32	20 40 5	17 56	10 ♊ 29	5 2	17 3	12 41
14	Th	15 32 28	21 40 31	18 12	25 17	4 54	18 29	12 39
15	F	15 36 25	22 40 59	18 27	10 ♋ 1	4 26	18 40	12 38
16	S	15 40 21	23 41 29	18 42	24 36	3 41	17 36	12 36
17	𝕾	15 44 18	24 42 0	18 57	8 ♌ 55	2 42	15 26	12 35
18	M	15 48 14	25 42 34	19 12	22 59	1 35	12 22	12 33
19	Tu	15 52 11	26 43 9	19 26	6 ♍ 45	0 24	8 40	12 31
20	W	15 56 8	27 43 45	19 40	20 15	0 N 48	4 36	12 29
21	Th	16 0 4	28 44 24	19 53	3 ♎ 31	1 55	0 22	12 28
22	F	16 4 1	29 45 4	20 7	16 34	2 55	3 S 49	12 26
23	S	16 7 57	0 ♐ 45 46	20 19	29 26	3 46	7 46	12 25
24	𝕾	16 11 54	1 46 29	20 32	12 ♏ 8	4 24	11 18	12 23
25	M	16 15 50	2 47 14	20 44	24 39	4 48	14 17	12 22
26	Tu	16 19 47	3 48 0	20 55	7 ♐ 0	4 59	16 35	12 20
27	W	16 23 43	4 48 48	21 7	19 12	4 56	18 6	12 18
28	Th	16 27 40	5 49 36	21 17	1 ♑ 14	4 39	18 47	12 16
29	F	16 31 37	6 50 26	21 28	13 9	4 11	18 39	12 14
30	S	16 35 33	7 51 17	21 38	24 59	3 32	17 41	12 12

NOVEMBER XXX DAYS.

D M	Mars. Lat.	Mars. Declin.	Venus. Lat.	Venus. Declin.	Mercury. Lat.	Mercury. Declin.	Moon's Node.
	° ′	° ′	° ′	° ′	° ′	° ′	° ′
1	0 S 21	19 S 27	0 N 22	16 S 54	2 S 50	23 S 22	11 ♍ 17
4	0 23	19 59	0 15	18 1	2 48	23 52	11 8
7	0 25	20 29	0 7	19 4	2 40	24 5	10 58
10	0 26	20 58	0 S 0	20 2	2 20	23 58	10 49
13	0 28	21 25	0 8	20 55	1 52	23 25	10 39
16	0 29	21 50	0 15	21 43	1 12	22 24	10 30
19	0 31	22 14	0 22	22 26	0 12	20 53	10 20
22	0 33	22 35	0 29	23 2	1 N 0	19 3	10 11
25	0 35	22 55	0 36	23 32	1 44	17 20	10 1
28	0 36	23 12	0 43	23 56	2 14	16 8	9 52

D M	♄ Long.	♃ Long.	♂ Long.	♀ Long.	☿ Long.	Mutual Aspts.	Lunar Aspects. ☉	♅	♄	♃	♂	♀	☿
	° ′	° ′	° ′	° ′	° ′								
1	24 ♏ 35	27 ♒ 47	25 ♏ 22	18 ♏ 8	2 ♐ 3	♀ P ♄	✱						
2	24 42	27 49	26 5	19 23	2 59			☍				✱	
3	24 49	27 51	26 48	20 38	3 52	♃ □ ♅			✱		✱		✱
4	24 56	27 53	27 30	21 53	4 41	♂ □ ♅	□						
5	25 3	27 55	28 13	23 8	5 26	♂ □ ♃			□	☌	□	□	
6	25 10	27 57	28 56	24 24	6 6								□
7	25 17	28 0	29 39	25 39	6 40	♀ ☌ ♄	△	△					
8	25 24	28 3	0 ♐ 22	26 54	7 8				△		△	△	
9	25 31	28 6	1 5	28 9	7 28	♀ □ ♃		□					△
10	25 38	28 9	1 49	29 24	7 41	☉ P ♄				✱			
11	25 45	28 13	2 32	0 ♐ 39	7 46			✱					
12	25 52	28 17	3 16	1 54	7 ℞ 44		☍		☍	□		☍	
13	25 59	28 21	3 59	3 9	7 32						☍		☍
14	26 6	28 25	4 43	4 24	7 8	☿ P ♅				△			
15	26 13	28 29	5 27	5 39	6 34	☿ ☌ ♀		☌					
16	26 20	28 34	6 10	6 55	5 49	☿ ☌ ♂	△		△				
17	26 27	28 39	6 54	8 10	4 56	♀ P ☿					△	△	△
18	26 34	28 44	7 38	9 25	3 52		□		□	☍			
19	26 41	28 49	8 22	10 40	2 41	☉ ☌ ♄		✱			□	□	□
20	26 48	28 54	9 6	11 55	1 24	☉ □ ♅			✱				
21	26 55	28 59	9 50	13 10	0 3	☉ □ ♃	✱						✱
22	27 2	29 4	10 34	14 25	28 ♏ 41	☉ ☌ ☿		□			✱	✱	
23	27 9	29 10	11 18	15 40	27 21	☿ ☌ ♄				△			
24	27 16	29 16	12 2	16 55	26 5			△					
25	27 23	29 22	12 46	18 10	24 56	♄ □ ♅			☌	□			☌
26	27 30	29 28	13 30	19 26	23 55		☌						
27	27 37	29 34	14 14	20 41	23 5						☌	☌	
28	27 44	29 41	14 58	21 56	22 26					✱			
29	27 51	29 48	15 42	23 11	21 58			☍					
30	27 59	29 55	16 27	24 26	21 42				✱				✱

DECEMBER XXXI DAYS.

D M	Neptune. Long.	Neptune. Declin	Herschel. Lat.	Herschel. Declin.	Saturn. Lat.	Saturn. Declin.	Jupiter. Lat.	Jupiter. Declin.
	° ′	° ′	° ′	° ′	° ′	° ′	° ′	° ′
1	12 ♈ 27	3 N25	0 N22	23 N16	1 N52	17 S 56	1 S 9	12 S 32
4	12 ℞ 25	3 24	0 22	23 17	1 52	18 1	1 9	12 24
7	12 23	3 24	0 22	23 17	1 52	18 5	1 8	12 15
10	12 21	3 23	0 22	23 17	1 52	18 10	1 8	12 6
13	12 20	3 23	0 22	23 18	1 52	18 14	1 7	11 56
16	12 19	3 23	0 22	23 19	1 52	18 18	1 7	11 46
19	12 18	3 22	0 22	23 20	1 52	18 22	1 6	11 35
22	12 18	3 22	0 22	23 21	1 53	18 26	1 6	11 24
25	12 18	3 23	0 22	23 21	1 53	18 30	1 5	11 13
28	12 D 18	3 23	0 22	23 22	1 53	18 34	1 5	11 1
31	12 18	3 23	0 22	23 23	1 53	18 37	1 4	10 48

D M	D W	Sidereal Time.	☉ Long.	☉ Declin	☽ Long.	☽ Lat.	☽ Declin	♅ Long.
		H. M. S.	° ′ ″	° ′	° ′	° ′	° ′	° ′
1	𝔖	16 39 30	8 ♐ 52 9	21 S 48	6 ♒ 47	2 N43	15 S 57	12 ♋ 10
2	M	16 43 26	9 53 1	21 57	18 36	1 47	13 33	12 ℞ 8
3	Tu	16 47 23	10 53 55	22 6	0 ♓ 33	0 46	10 34	12 6
4	W	16 51 19	11 54 49	22 14	12 41	0 S 18	7 4	12 4
5	Th	16 55 16	12 55 44	22 22	25 7	1 22	3 12	12 2
6	F	16 59 13	13 56 40	22 29	7 ♈ 56	2 25	0 N56	12 0
7	S	17 3 9	14 57 36	22 36	21 12	3 22	5 9	11 58
8	𝔖	17 7 6	15 58 33	22 43	4 ♉ 58	4 10	9 16	11 56
9	M	17 11 2	16 59 31	22 49	19 14	4 43	13 0	11 53
10	Tu	17 14 59	18 0 30	22 55	3 ♊ 55	5 0	16 2	11 51
11	W	17 18 55	19 1 29	23 0	18 56	4 56	18 5	11 48
12	Th	17 22 52	20 2 29	23 5	4 ♋ 6	4 31	18 52	11 46
13	F	17 26 48	21 3 30	23 9	19 14	3 48	18 19	11 43
14	S	17 30 45	22 4 32	23 13	4 ♌ 12	2 49	16 29	11 41
15	𝔖	17 34 42	23 5 35	23 16	18 51	1 40	13 36	11 38
16	M	17 38 38	24 6 38	23 19	3 ♍ 7	0 26	9 57	11 36
17	Tu	17 42 35	25 7 43	23 22	17 0	0 N47	5 52	11 33
18	W	17 46 31	26 8 48	23 24	0 ♎ 29	1 56	1 35	11 31
19	Th	17 50 28	27 9 54	23 25	13 38	2 57	2 S 40	11 29
20	F	17 54 24	28 11 2	23 26	26 30	3 47	6 42	11 26
21	S	17 58 21	29 12 9	23 27	9 ♏ 7	4 25	10 21	11 24
22	𝔖	18 2 17	0 ♑ 13 18	23 27	21 33	4 50	13 29	11 21
23	M	18 6 14	1 14 27	23 27	3 ♐ 49	5 2	15 59	11 19
24	Tu	18 10 11	2 15 37	23 26	15 57	4 59	17 45	11 16
25	W	18 14 7	3 16 47	23 25	27 58	4 43	18 43	11 14
26	Th	18 18 4	4 17 57	23 23	9 ♑ 54	4 14	18 51	11 11
27	F	18 22 0	5 19 7	23 21	21 45	3 35	18 9	11 8
28	S	18 25 57	6 20 18	23 18	3 ♒ 34	2 47	16 40	11 6
29	𝔖	18 29 53	7 21 29	23 15	15 22	1 51	14 29	11 3
30	M	18 33 50	8 22 39	23 11	27 13	0 50	11 40	11 1
31	Tu	18 37 46	9 23 50	23 7	9 ♓ 9	0 S 14	8 22	10 58

DECEMBER XXXI DAYS.

D M	Mars. Lat.		Mars. Declin.		Venus. Lat.		Venus. Declin.		Mercury. Lat.		Mercury. Declin.		Moon's Node.	
	°	′	°	′	°	′	°	′	°	′	°	′	°	′
1	0 S	38	23 S	28	0 S	50	24 S	13	2 N	37	15 S	39	9 ♍	42
4	0	39	23	41	0	57	24	24	2	35	15	48	9	33
7	0	41	23	52	1	4	24	28	2	30	16	26	9	23
10	0	42	24	1	1	10	24	25	2	14	17	21	9	14
13	0	44	24	8	1	15	24	16	1	54	18	25	9	4
16	0	45	24	12	1	20	23	59	1	32	19	31	8	55
19	0	47	24	14	1	24	23	36	1	9	20	35	8	45
22	0	48	24	13	1	28	23	7	0	45	21	34	8	35
25	0	49	24	10	1	32	22	31	0	22	22	27	8	26
28	0	50	24	5	1	36	21	49	0 S	1	23	11	8	16
31	0	51	23	57	1	39	21	2	0	21	23	45	8	7

D M	♄ Long.		♃ Long.		♂ Long.		♀ Long.		☿ Long.		Mutual Aspts.	☉	♅	♄	♃	♂	♀	☿
	°	′	°	′	°	′	°	′	°	′								
1	28 ♏	7	0 ♓	2	17 ♐	12	25 ♐	41	21 ♏	36		✶						
2	28	14	0	9	17	56	26	56	21	42						✶		□
3	28	21	0	17	18	41	28	11	21	57				□	☌		✶	
4	28	29	0	25	19	26	29	26	22	21		□	△					
5	28	36	0	32	20	11	0 ♑	41	22	53	♀ ✶ ♃			△		□		△
6	28	43	0	40	20	55	1	56	23	33		△	□				□	
7	28	50	0	48	21	40	3	11	24	19						△		
8	28	57	0	56	22	25	4	26	25	11			✶		✶		△	
9	29	4	1	4	23	10	5	42	26	7								
10	29	11	1	13	23	55	6	57	27	8	☿ □ ♅			☍	□			☍
11	29	18	1	21	24	40	8	12	28	13		☍				☍		
12	29	25	1	30	25	25	9	27	29	21	☿ ☌ ♄		☌		△		☍	
13	29	32	1	39	26	10	10	42	0 ♐	32								
14	29	39	1	48	26	55	11	57	1	46	♀ ☍ ♅			△				△
15	29	46	1	57	27	41	13	12	3	2		△						
16	29	53	2	6	28	26	14	27	4	20	♀ ∠ ♄			□	☍	△		□
17	0 ♐	0	2	16	29	11	15	41	5	39			✶				△	
18	0	7	2	26	29	56	16	56	6	59		□		✶		□		
19	0	13	2	36	0 ♑	42	18	11	8	22			□				□	✶
20	0	20	2	46	1	27	19	26	9	45		✶				✶		
21	0	26	2	56	2	13	20	41	11	9	♀ P ♅		△		△			
22	0	33	3	6	2	58	21	56	12	34	♂ ✶ ♃						✶	
23	0	39	3	16	3	44	23	11	14	0				☌	□			
24	0	46	3	26	4	29	24	26	15	27								☌
25	0	52	3	36	5	15	25	41	16	54	☉ ✶ ♃	☌			✶			
26	0	59	3	46	6	1	26	56	18	22			☍			☌		
27	1	5	3	57	6	47	28	11	19	50								
28	1	11	4	8	7	32	29	26	21	19				✶			☌	
29	1	18	4	19	8	18	0 ♒	41	22	48								
30	1	24	4	30	9	4	1	56	24	18	♀ ✶ ♄			□				✶
31	1	30	4	41	9	50	3	10	25	48		✶	△		☌	✶		

Sidereal Time H. M. S.	10 Υ	11 ♉	12 Π	Ascen ♋ ° '	2 Ω	3 mp
0 0 0	0	9	24	28 12	14	3
0 3 40	1	10	25	28 51	14	4
0 7 20	2	12	25	29 30	15	4
0 11 0	3	13	26	0♋ 9	16	5
0 14 41	4	14	27	0 48	17	6
0 18 21	5	15	28	1 27	17	7
0 22 2	6	16	29	2 6	18	8
0 25 42	7	17	♋	2 44	19	9
0 29 23	8	18	1	3 22	19	10
0 33 4	9	19	1	4 1	20	10
0 36 45	10	20	2	4 39	21	11
0 40 26	11	21	3	5 18	22	12
0 44 8	12	22	4	5 56	22	13
0 47 50	13	23	5	6 34	23	14
0 51 32	14	24	6	7 13	24	14
0 55 14	15	25	6	7 51	24	15
0 58 57	16	26	7	8 30	25	16
1 2 40	17	27	8	9 8	26	17
1 6 23	18	28	9	9 47	26	18
1 10 7	19	29	10	10 25	27	19
1 13 51	20	Π	11	11 4	28	19
1 17 35	21	1	11	11 43	28	20
1 21 20	22	2	12	12 21	29	21
1 25 6	23	3	13	13 0	mp	22
1 28 52	24	4	14	13 39	1	23
1 32 38	25	5	15	14 17	1	24
1 36 25	26	6	15	14 56	2	25
1 40 12	27	7	16	15 35	3	25
1 44 0	28	8	17	16 14	3	26
1 47 48	29	9	18	16 53	4	27
1 51 37	30	10	18	17 32	5	28

Sidereal Time H. M. S.	10 ♉	11 Π	12 ♋	Ascen Ω ° '	2 mp	3 mp
1 51 37	0	10	18	17 32	5	28
1 55 27	1	11	19	18 11	6	29
1 59 17	2	12	20	18 51	6	♎
2 3 8	3	13	21	19 30	7	1
2 6 59	4	14	22	20 9	8	2
2 10 51	5	15	22	20 49	9	2
2 14 44	6	16	23	21 28	9	3
2 18 37	7	17	24	22 8	10	4
2 22 31	8	18	25	22 48	11	5
2 26 25	9	19	25	23 28	12	6
2 30 20	10	20	26	24 8	12	7
2 34 16	11	21	27	24 48	13	8
2 38 13	12	22	28	25 28	14	9
2 42 10	13	23	29	26 8	15	10
2 46 8	14	24	29	26 49	15	10
2 50 7	15	25	Ω	27 29	16	11
2 54 7	16	26	1	28 10	17	12
2 58 7	17	27	2	28 51	18	13
3 2 8	18	28	2	29 32	19	14
3 6 9	19	29	3	0mp 13	19	15
3 10 12	20	29	4	0 54	20	16
3 14 15	21	♋	5	1 36	21	17
3 18 19	22	1	5	2 17	22	18
3 22 23	23	2	6	2 59	23	19
3 26 29	24	3	7	3 41	23	20
3 30 35	25	4	8	4 23	24	21
3 34 41	26	5	9	5 5	25	22
3 38 49	27	6	10	5 47	26	22
3 42 57	28	7	10	6 29	27	23
3 47 6	29	8	11	7 12	27	24
3 51 15	30	9	12	7 55	28	25

Sidereal Time H. M. S.	10 Π	11 ♋	12 Ω	Ascen mp ° '	2 mp	3 ♎
3 51 15	0	9	12	7 55	28	25
3 55 25	1	10	13	8 37	29	26
3 59 36	2	11	13	9 20	♎	27
4 3 48	3	12	14	10 3	1	28
4 8 0	4	12	15	10 46	2	29
4 12 13	5	13	16	11 30	2	m
4 16 26	6	14	17	12 13	3	1
4 20 40	7	15	18	12 56	4	2
4 24 55	8	16	18	13 40	5	3
4 29 10	9	17	19	14 24	6	4
4 33 26	10	18	20	15 8	7	5
4 37 42	11	19	21	15 52	7	6
4 41 59	12	20	21	16 36	8	6
4 46 16	13	21	22	17 20	9	7
4 50 34	14	22	23	18 4	10	8
4 54 52	15	23	24	18 48	11	9
4 59 10	16	24	25	19 32	12	10
5 3 29	17	25	26	20 17	12	11
5 7 49	18	25	26	21 1	13	12
5 12 9	19	26	27	21 46	14	13
5 16 29	20	27	28	22 31	15	14
5 20 49	21	28	29	23 16	16	15
5 25 9	22	29	mp	24 0	17	16
5 29 30	23	Ω	1	24 .5	18	17
5 33 51	24	1	1	25 30	18	18
5 38 12	25	2	2	26 15	19	19
5 42 34	26	3	3	27 0	20	20
5 46 55	27	4	4	27 45	21	21
5 51 17	28	5	5	28 30	22	21
5 55 38	29	6	6	29 15	23	22
6 0 0	30	7	7	30 0	23	23

Sidereal Time H. M. S.	10 ♋	11 Ω	12 mp	Ascen ♎ ° '	2 ♎	3 m
6 0 0	0	7	7	0 23	23	23
6 4 22	1	8	7	0 45	24	24
6 8 43	2	9	8	1 30	25	25
6 13 5	3	9	9	2 15	26	26
6 17 26	4	10	10	3 0	27	27
6 21 48	5	11	11	3 45	28	28
6 26 9	6	12	12	4 30	29	29
6 30 30	7	13	12	5 15	29	♏
6 34 51	8	14	13	6 0	m	1
6 39 11	9	15	14	6 44	1	2
6 43 31	10	16	15	7 29	2	3
6 47 51	11	17	16	8 14	3	4
6 52 11	12	18	17	8 59	4	5
6 56 31	13	19	18	9 43	4	6
7 0 50	14	20	18	10 27	5	6
7 5 8	15	21	19	11 11	6	7
7 9 26	16	22	20	11 56	7	8
7 13 44	17	23	21	12 40	8	9
7 18 1	18	24	22	13 24	8	10
7 22 18	19	24	23	14 8	9	11
7 26 34	20	25	23	14 52	10	12
7 30 50	21	26	24	15 36	11	13
7 35 5	22	27	25	16 20	12	14
7 39 20	23	28	26	17 4	13	15
7 43 34	24	29	27	17 47	13	16
7 47 47	25	mp	28	18 30	14	17
7 52 0	26	1	28	19 13	15	18
7 56 12	27	2	29	19 57	16	18
8 0 24	28	3	♎	20 40	17	19
8 4 35	29	4	1	21 23	17	20
8 8 45	30	5	2	22 5	18	21

Sidereal Time H. M. S.	10 Ω	11 mp	12 ♎	Ascen ♎ ° '	2 m	3 t
8 8 45	0	5	2	22 5	18	21
8 12 54	1	6	2	22 48	19	22
8 17 3	2	7	3	23 30	20	23
8 21 11	3	8	4	24 13	20	24
8 25 19	4	8	5	24 55	21	25
8 29 26	5	9	6	25 37	22	26
8 33 31	6	10	7	26 19	23	27
8 37 37	7	11	7	27 1	24	28
8 41 41	8	12	8	27 43	25	29
8 45 45	9	13	9	28 24	25	vↄ
8 49 48	10	14	10	29 6	26	1
8 53 51	11	15	11	29 47	27	1
8 57 52	12	16	11	0m 28	28	2
9 1 53	13	17	12	1 9	28	3
9 5 53	14	18	13	1 50	29	4
9 9 53	15	19	14	2 31	t	5
9 13 52	16	19	15	3 11	1	6
9 17 50	17	20	15	3 52	1	7
9 21 47	18	21	16	4 32	2	8
9 25 44	19	22	17	5 12	3	9
9 29 40	20	23	18	5 52	4	10
9 33 35	21	24	18	6 32	5	11
9 37 29	22	25	19	7 12	5	12
9 41 23	23	26	20	7 52	6	13
9 45 16	24	27	21	8 32	7	14
9 49 9	25	27	21	9 12	8	15
9 53 1	26	28	22	9 51	8	16
9 56 52	27	29	23	10 30	9	17
10 0 43	28	♎	24	11 9	10	17
10 4 33	29	1	24	11 49	11	18
10 8 23	30	2	25	12 28	11	19

Sidereal Time H. M. S.	10 mp	11 ♎	12 ♎	Ascen m ° '	2 t	3 vↄ
10 8 23	0	2	25	12 28	11	19
10 12 12	1	3	26	13 6	12	20
10 16 0	2	4	27	13 45	13	21
10 19 48	3	4	27	14 25	14	22
10 23 35	4	5	28	15 4	15	23
10 27 22	5	6	29	15 42	16	24
10 31 8	6	7	29	16 21	16	25
10 34 54	7	8	m	17 0	17	26
10 38 40	8	9	1	17 39	18	27
10 42 25	9	10	2	18 17	18	28
10 46 9	10	10	2	18 55	19	29
10 49 53	11	11	3	19 34	20	♒
10 53 37	12	12	4	20 13	21	1
10 57 20	13	13	4	20 52	22	2
11 1 3	14	14	5	21 30	22	3
11 4 46	15	15	6	22 8	23	5
11 8 28	16	16	7	22 46	24	6
11 12 10	17	16	7	23 25	25	7
11 15 52	18	17	8	24 4	26	8
11 19 34	19	18	9	24 42	26	9
11 23 15	20	19	9	25 21	27	10
11 26 56	21	20	10	25 59	28	11
11 30 37	22	20	11	26 38	29	12
11 34 18	23	21	11	27 16	vↄ	13
11 37 58	24	22	12	27 54	1	14
11 41 39	25	23	13	28 33	1	15
11 45 19	26	24	14	29 11	2	16
11 49 0	27	25	14	29 50	3	17
11 52 40	28	26	15	0t 30	4	18
11 56 20	29	26	16	1 8	5	19
12 0 0	30	27	18	1 48	6	21

TABLES OF HOUSES FOR LIVERPOOL, Latitude 53° 25′ N.

Sidereal Time	10 ♎	11 ♎	12 m	Ascen ♐	2 ♑	3 ♒
H. M. S.	°	°	°	° ′	°	°
12 0 0	0	27	16	1 48	6	21
12 3 40	1	28	17	2 27	7	22
12 7 20	2	29	18	3 6	8	23
12 11 0	3	m	18	3 46	9	24
12 14 41	4	0	19	4 25	10	26
12 18 21	5	1	20	5 6	10	26
12 22 2	6	2	21	5 46	11	28
12 25 42	7	3	21	6 26	12	29
12 29 23	8	4	22	7 6	13	♓
12 33 4	9	4	23	7 46	14	1
12 36 45	10	5	24	8 27	15	2
12 40 26	11	6	24	9 8	16	3
12 44 8	12	7	25	9 49	17	5
12 47 50	13	8	26	10 30	18	6
12 51 32	14	9	26	11 12	19	7
12 55 14	15	9	27	11 54	20	8
12 58 57	16	10	28	12 36	21	10
13 2 40	17	11	28	13 19	22	11
13 6 23	18	12	29	14 2	23	12
13 10 7	19	13	♐	14 45	25	13
13 13 51	20	13	1	15 28	26	15
13 17 35	21	14	1	16 12	27	16
13 21 20	22	15	2	16 56	28	17
13 25 6	23	16	3	17 41	29	18
13 28 52	24	17	4	18 26	♒	19
13 32 38	25	17	4	19 11	1	21
13 36 25	26	18	5	19 57	3	22
13 40 12	27	19	6	20 44	4	23
13 44 0	28	20	7	21 31	5	24
13 47 48	29	21	7	22 18	7	26
13 51 37	30	21	8	23 6	8	27

Sidereal Time	10 m	11 m	12 ♐	Ascen ♐	2 ♒	3 ♓
H. M. S.	°	°	°	° ′	°	°
12 51 37	0	21	8	23 6	8	27
13 55 27	1	22	9	23 55	9	28
13 59 17	2	23	10	24 43	10	♈
14 3 8	3	24	10	25 33	12	1
14 6 59	4	25	11	26 23	13	2
14 10 51	5	26	12	27 14	15	4
14 14 44	6	26	13	28 6	16	5
14 18 37	7	27	13	28 59	18	6
14 22 31	8	28	14	29 52	19	8
14 26 25	9	29	15	0♈46	20	9
14 30 20	10	♐	16	1 41	22	10
14 34 16	11	1	17	2 36	23	11
14 38 13	12	2	18	3 33	25	13
14 42 10	13	2	18	4 30	26	14
14 46 8	14	3	19	5 29	28	16
14 50 7	15	4	20	6 29	♓	17
14 54 7	16	5	21	7 30	1	18
14 58 7	17	6	22	8 32	3	20
15 2 8	18	7	23	9 35	5	21
15 6 9	19	8	24	10 39	6	22
15 10 12	20	8	24	11 45	8	23
15 14 16	21	9	25	12 52	10	25
15 18 19	22	10	26	14 1	11	26
15 22 23	23	11	27	15 11	13	27
15 26 29	24	12	28	16 23	15	29
15 30 35	25	13	29	17 37	17	♉
15 34 41	26	14	♑	18 53	19	1
15 38 49	27	15	1	20 10	21	3
15 42 57	28	16	2	21 29	22	4
15 47 6	29	16	3	22 51	24	5
15 51 15	30	17	4	24 15	26	7

Sidereal Time	10 ♐	11 ♐	12 ♑	Ascen ♑	2 ♓	3 ♉
H. M. S.	°	°	°	° ′	°	°
15 51 15	0	17	4	24 15	26	7
15 55 25	1	18	5	25 41	28	8
15 59 36	2	19	6	27 10	♈	9
16 3 48	3	20	7	28 41	2	10
16 8 0	4	21	8	0♒14	4	12
16 12 13	5	22	9	1 50	5	13
16 16 26	6	23	10	3 30	7	14
16 20 40	7	24	11	5 13	9	15
16 24 55	8	25	12	6 58	11	17
16 29 10	9	26	13	8 46	13	18
16 33 26	10	27	14	10 38	15	19
16 37 42	11	28	15	12 32	17	20
16 41 59	12	29	16	14 31	19	22
16 46 16	13	♑	18	16 33	20	23
16 50 34	14	1	19	18 40	22	24
16 54 52	15	2	20	20 50	24	25
16 59 10	16	3	21	23 4	26	26
17 3 29	17	4	22	25 21	28	28
17 7 49	18	5	24	27 42	29	29
17 12 9	19	6	25	0♓8	♉	♊
17 16 29	20	7	26	2 37	3	1
17 20 49	21	8	28	5 10	5	3
17 25 9	22	9	29	7 46	6	4
17 29 30	23	10	♒	10 24	8	5
17 33 51	24	11	2	13 7	10	6
17 38 12	25	12	3	15 52	11	7
17 42 34	26	13	4	18 38	13	8
17 46 55	27	14	6	21 27	15	9
17 51 17	28	15	7	24 17	16	10
17 55 38	29	16	9	27 8	18	12
18 0 0	30	17	11	30 0	19	13

Sidereal Time	10 ♑	11 ♑	12 ♒	Ascen ♈	2 ♉	3 ♊
H. M. S.	°	°	°	° ′	°	°
18 0 0	0	17	11	0 0	19	13
18 4 22	1	18	12	2 52	21	14
18 8 43	2	20	14	5 43	23	15
18 13 5	3	21	15	8 33	24	16
18 17 26	4	22	17	11 22	25	17
18 21 48	5	23	19	14 8	27	18
18 26 9	6	24	20	16 53	28	19
18 30 30	7	25	22	19 36	♊	20
18 34 51	8	26	24	22 14	1	21
18 39 11	9	27	25	24 49	2	22
18 43 31	10	29	27	27 23	4	23
18 47 51	11	♒	28	29 52	5	24
18 52 11	12	1	♓	2♉18	6	25
18 56 31	13	2	2	4 39	8	26
19 0 50	14	4	4	6 56	9	27
19 5 8	15	5	6	9 10	10	28
19 9 26	16	6	8	11 20	11	29
19 13 44	17	7	10	13 27	12	♋
19 18 1	18	8	11	15 29	14	1
19 22 18	19	9	13	17 28	15	2
19 26 34	20	11	15	19 22	16	3
19 30 50	21	12	17	21 14	17	4
19 35 5	22	13	19	23 2	18	5
19 39 20	23	15	21	24 47	19	6
19 43 34	24	16	23	26 30	20	7
19 47 47	25	17	25	28 10	21	8
19 52 0	26	18	26	29 46	22	9
19 56 12	27	20	28	1♊19	23	10
20 0 24	28	21	♈	2 50	24	11
20 4 35	29	22	2	4 19	25	12
20 8 45	30	23	4	5 46	26	13

Sidereal Time	10 ♒	11 ♒	12 ♈	Ascen ♊	2 ♊	3 ♋
H. M. S.	°	°	°	° ′	°	°
20 8 45	0	23	4	5 45	26	13
20 12 54	1	25	6	7 9	27	14
20 17 3	2	26	8	8 31	28	14
20 21 11	3	27	9	9 50	29	15
20 25 19	4	29	11	11 7	♋	16
20 29 26	5	♈	13	12 22	1	17
20 33 31	6	1	15	13 37	2	18
20 37 37	7	3	17	14 49	3	19
20 41 41	8	4	19	15 59	4	20
20 45 45	9	5	20	17 8	5	21
20 49 48	10	7	22	18 15	6	22
20 53 51	11	8	24	19 21	7	22
20 57 52	12	10	25	20 25	7	23
21 1 53	13	11	27	21 28	8	24
21 5 53	14	12	29	22 30	9	25
21 9 53	15	13	♉	23 31	10	26
21 13 52	16	14	2	24 31	11	27
21 17 50	17	16	4	25 30	12	28
21 21 47	18	17	5	26 27	12	28
21 25 44	19	18	7	27 24	13	29
21 29 40	20	20	8	28 21	14	♌
21 33 35	21	21	10	29 14	15	1
21 37 29	22	22	11	0♋8	16	2
21 41 23	23	24	12	1 1	17	3
21 45 16	24	25	14	1 54	17	4
21 49 9	25	26	15	2 47	18	4
21 53 1	26	28	17	3 37	19	5
21 56 52	27	29	18	4 27	20	6
22 0 43	28	♈	20	5 17	20	7
22 4 33	29	2	21	6 5	21	8
22 8 23	30	3	22	6 54	22	8

Sidereal Time	10 ♓	11 ♈	12 ♉	Ascen ♋	2 ♋	3 ♌
H. M. S.	°	°	°	° ′	°	°
22 8 23	0	3	22	6 54	22	8
22 12 12	1	4	23	7 42	23	9
22 16 0	2	5	25	8 29	23	10
22 19 48	3	7	26	9 16	24	11
22 23 35	4	8	27	10 3	25	12
22 27 22	5	9	29	10 49	26	13
22 31 8	6	11	♊	11 34	26	13
22 34 54	7	12	1	12 19	27	14
22 38 40	8	13	2	13 3	28	15
22 42 25	9	14	3	13 48	29	16
22 46 9	10	16	4	14 32	29	17
22 49 53	11	17	5	15 15	♌	18
22 53 37	12	18	7	15 58	1	19
22 57 20	13	19	8	16 41	2	19
23 1 3	14	20	9	17 24	2	20
23 4 46	15	22	10	18 6	3	21
23 8 16	16	23	11	18 48	4	21
23 12 10	17	24	12	19 30	4	22
23 15 52	18	25	13	20 11	5	23
23 19 34	19	27	14	20 52	6	24
23 23 15	20	28	15	21 33	6	25
23 26 56	21	29	16	22 14	7	26
23 30 37	22	♉	17	22 54	8	26
23 34 18	23	1	18	23 34	9	27
23 37 58	24	2	19	24 14	9	28
23 41 39	25	4	20	24 54	10	29
23 45 19	26	5	21	25 35	11	♍
23 49 0	27	6	22	26 14	11	0
23 52 40	28	7	22	26 54	12	1
23 56 20	29	8	23	27 33	13	2
24 0 0	30	9	24	28 13	14	3

PROPORTIONAL LOGARITHMS FOR FINDING THE PLANETS' PLACES.

DEGREES OR HOURS.

Min.	0	1	2	3	4	5	6	7	8	9	10	11	12	13	14	15	16
0	3.1584	1.3802	1.0792	9031	7781	6812	6021	5351	4771	4260	3802	3388	3010	2663	2341	2041	1761
1	3.1584	1.3730	1.0756	9007	7763	6798	6009	5341	4762	4252	3795	3382	3004	2657	2336	2036	1756
2	2.8573	1.3660	1.0720	8983	7745	6784	5997	5330	4753	4244	3788	3375	2998	2652	2330	2032	1752
3	2.6812	1.3590	1.0685	8959	7728	6769	5985	5320	4744	4236	3780	3368	2992	2646	2325	2027	1747
4	2.5563	1.3522	1.0649	8935	7710	6755	5973	5310	4735	4228	3773	3362	2986	2640	2320	2022	1743
5	2.4594	1.3454	1.0614	8912	7692	6741	5961	5300	4726	4220	3766	3355	2980	2635	2315	2017	1738
6	2.3802	1.3388	1.0580	8888	7674	6726	5949	5289	4717	4212	3759	3349	2974	2629	2310	2012	1734
7	2.3133	1.3323	1.0546	8865	7657	6712	5937	5279	4708	4204	3752	3342	2968	2624	2305	2008	1729
8	2.2553	1.3258	1.0511	8842	7639	6698	5925	5269	4699	4196	3745	3336	2962	2618	2300	2003	1725
9	2.2041	1.3195	1.0478	8819	7622	6684	5913	5259	4690	4188	3737	3329	2956	2613	2295	1998	1720
10	2.1584	1.3133	1.0444	8796	7604	6670	5902	5249	4682	4180	3730	3323	2950	2607	2289	1993	1716
11	2.1170	1.3071	1.0411	8773	7597	6656	5890	5239	4673	4172	3723	3316	2944	2602	2284	1988	1711
12	2.0792	1.3010	1.0378	8751	7570	6642	5878	5229	4664	4164	3716	3310	2938	2596	2279	1984	1707
13	2.0444	1.2950	1.0345	8728	7552	6628	5866	5219	4655	4156	3709	3303	2933	2591	2274	1979	1702
14	2.0122	1.2891	1.0313	8706	7535	6614	5855	5209	4646	4148	3702	3297	2927	2585	2269	1974	1698
15	1.9823	1.2833	1.0280	8683	7518	6600	5843	5199	4638	4141	3695	3291	2921	2580	2264	1969	1694
16	1.9542	1.2775	1.0248	8661	7501	6587	5832	5189	4629	4133	3688	3284	2915	2574	2259	1965	1689
17	1.9279	1.2719	1.0216	8639	7484	6573	5820	5179	4620	4125	3681	3278	2909	2569	2254	1960	1685
18	1.9031	1.2663	1.0185	8617	7467	6559	5809	5169	4611	4117	3674	3271	2903	2564	2249	1955	1680
19	1.8796	1.2607	1.0153	8595	7451	6546	5797	5159	4603	4109	3667	3265	2897	2558	2244	1950	1676
20	1.8573	1.2553	1.0122	8573	7434	6532	5786	5149	4594	4102	3660	3258	2891	2553	2239	1946	1671
21	1.8361	1.2499	1.0091	8552	7417	6519	5774	5139	4585	4094	3653	3252	2885	2547	2234	1941	1667
22	1.8159	1.2445	1.0061	8530	7401	6505	5763	5120	4577	4086	3646	3246	2880	2542	2229	1936	1662
23	1.7966	1.2393	1.0030	8509	7384	6492	5752	5120	4568	4079	3639	3239	2874	2536	2223	1932	1658
24	1.7781	1.2341	1.0000	8487	7368	6478	5740	5110	4559	4071	3632	3233	2868	2531	2218	1927	1654
25	1.7604	1.2289	0.9970	8466	7351	6465	5729	5100	4551	4063	3625	3227	2862	2526	2213	1922	1649
26	1.7434	1.2239	0.9940	8445	7335	6451	5718	5090	4542	4055	3618	3220	2856	2520	2208	1917	1645
27	1.7270	1.2188	0.9910	8424	7318	6438	5706	5081	4534	4048	3611	3214	2850	2515	2203	1913	1640
28	1.7112	1.2139	0.9881	8403	7302	6425	5695	5071	4525	4040	3604	3208	2845	2509	2198	1908	1636
29	1.6960	1.2090	0.9852	8382	7296	6412	5684	5061	4516	4032	3597	3201	2839	2504	2193	1903	1632
30	1.6812	1.2041	0.9823	8361	7270	6398	5673	5051	4508	4025	3590	3195	2833	2499	2188	1899	1627
31	1.6670	1.1993	0.9794	8341	7254	6385	5662	5042	4499	4017	3583	3189	2827	2493	2183	1894	1623
32	1.6532	1.1946	0.9765	8327	7238	6372	5651	5032	4491	4010	3576	3183	2821	2488	2178	1889	1618
33	1.6398	1.1899	0.9737	8300	7222	6359	5640	5023	4482	4002	3570	3176	2816	2483	2173	1885	1614
34	1.6269	1.1852	0.9708	8279	7206	6346	5629	5013	4474	3994	3563	3170	2810	2477	2168	1880	1610
35	1.6143	1.1806	0.9680	8259	7190	6333	5618	5003	4466	3987	3556	3164	2804	2472	2164	1875	1605
36	1.6021	1.1761	0.9652	8239	7174	6320	5607	4994	4457	3979	3549	3157	2798	2467	2159	1871	1601
37	1.5902	1.1716	0.9625	8219	7159	6307	5596	4984	4449	3972	3542	3151	2793	2461	2154	1866	1597
38	1.5786	1.1671	0.9597	8199	7143	6294	5585	4975	4440	3964	3535	3145	2787	2456	2149	1862	1592
39	1.5673	1.1627	0.9570	8179	7128	6282	5574	4965	4432	3957	3529	3139	2781	2451	2144	1857	1588
40	1.5563	1.1584	0.9542	8159	7112	6269	5563	4956	4424	3949	3522	3133	2775	2445	2139	1852	1584
41	1.5456	1.1540	0.9515	8140	7097	6256	5552	4947	4415	3942	3515	3126	2770	2440	2134	1848	1579
42	1.5351	1.1498	0.9488	8120	7081	6243	5541	4937	4407	3934	3508	3120	2764	2435	2129	1843	1575
43	1.5249	1.1455	0.9462	8101	7066	6231	5531	4928	4399	3927	3501	3114	2758	2430	2124	1838	1571
44	1.5149	1.1413	0.9435	8081	7050	6218	5520	4918	4390	3919	3495	3108	2753	2424	2119	1834	1566
45	1.5051	1.1372	0.9409	8062	7035	6205	5509	4909	4382	3912	3488	3102	2747	2419	2114	1829	1562
46	1.4956	1.1331	0.9383	8043	7020	6193	5498	4900	4373	3905	3481	3096	2741	2414	2109	1825	1552
47	1.4863	1.1290	0.9356	8023	7005	6180	5488	4890	4365	3897	3475	3089	2736	2409	2104	1820	1553
48	1.4771	1.1249	0.9330	8004	6990	6168	5477	4881	4357	3890	3468	3083	2730	2403	2099	1816	1549
49	1.4682	1.1209	0.9305	7985	6975	6155	5466	4872	4349	3882	3461	3077	2724	2398	2095	1811	1545
50	1.4594	1.1170	0.9279	7966	6960	6143	5456	4863	4341	3875	3454	3071	2719	2393	2090	1806	1540
51	1.4508	1.1130	0.9254	7947	6945	6131	5445	4853	4333	3868	3448	3065	2713	2388	2085	1802	1536
52	1.4424	1.1091	0.9228	7929	6930	6118	5435	4844	4324	3860	3441	3059	2707	2382	2080	1797	1532
53	1.4341	1.1053	0.9203	7910	6915	6106	5424	4835	4316	3853	3434	3053	2702	2377	2075	1793	1527
54	1.4260	1.1015	0.9178	7891	6900	6094	5414	4826	4308	3846	3428	3047	2696	2372	2070	1788	1525
55	1.4180	1.0977	0.9153	7873	6885	6081	5403	4817	4300	3838	3421	3041	2691	2367	2065	1784	1519
56	1.4102	1.0939	0.9128	7854	6871	6069	5393	4808	4292	3831	3415	3034	2685	2362	2061	1779	1516
57	1.4025	1.0902	0.9104	7836	6856	6057	5382	4798	4284	3824	3408	3028	2679	2356	2056	1774	1512
58	1.3949	1.0865	0.9079	7818	6841	6045	5372	4789	4276	3817	3401	3022	2674	2351	2051	1770	1503
59	1.3875	1.0828	0.9055	7800	6827	6033	5361	4780	4268	3809	3395	3016	2668	2346	2046	1765	1509

RULE:—Add the proportional log. of the planet's daily motion to the log. of the time from noon, and the sum will be the log. of the motion required. Add this to the planet's place at noon, if time be P.M.; but subtract if A.M., and the sum will be the planet's true place. Should the planet be Retrograde, subtract for P.M., and add for A.M.

Ex. What is the long. of ☽ Jan. 1st, 1884 at 2. 15. p.m?

☽'s long. Jan. 2nd,	28° ♒ 44'	
" " 1st,	15° 30'	
☽'s daily motion,	13° 14'	
Prop. Log. of 13° 14'		.2585
" " 2h 15m		1.0280
☽'s motion in 2h 15m, = 1° 14' or Log.		1.2865
☽'s Long. on 1st, = 15° 30'		
" " at 2h 15m on 1st,	16° ♒ 44'